Jeunesse

LE CHIEN QUI SOURIAIT

KATE DI CAMILLO

LE CHIEN
QUI SOURIAIT

Traduit de l'anglais
(État-Unis) par Luc Rigoureau

*Pour Tracey et Beck
Parce qu'elles ont été les premières à écouter cette histoire*

1

Je m'appelle India Opal Buloni. L'été dernier, papa, le pasteur, m'a envoyée acheter une boîte de raviolis, du riz et deux tomates, et je suis revenue avec un chien. Voici comment ça s'est passé : j'arrivais au rayon frais de l'épicerie Winn-Dixie pour y choisir mes tomates quand j'ai failli heurter de plein fouet le patron du magasin. Planté au beau milieu de l'allée, tout rouge, il agitait les bras et hurlait :

— Qui a laissé entrer ce chien ? Qui a laissé ce sale cabot entrer ici ?

D'abord, je n'ai pas vu de chien. J'ai juste vu

des tas de légumes répandus par terre, des tomates, des oignons et des poivrons verts. Il y avait aussi un véritable bataillon d'employés du Winn-Dixie qui couraient dans tous les sens en agitant les bras comme le gérant.

C'est alors que le chien a déboulé au coin de l'allée. Un gros chien. Laid comme le péché. Il avait l'air de drôlement s'amuser. Sa langue pendait, et sa queue battait la mesure. Il a dérapé jusqu'à moi, s'est arrêté à mes pieds et m'a fait un grand sourire. C'était la première fois de ma vie que je voyais un chien sourire, mais je vous promets que c'est vrai : il a retroussé ses babines et m'a montré toutes ses dents. Puis il a remué la queue, si fort, qu'il a envoyé valser des oranges qui ont roulé partout en se mélangeant aux tomates, aux oignons et aux poivrons verts.

— Que quelqu'un attrape cet animal ! a crié le patron.

La queue en folie, souriant de toutes ses dents, le chien s'est précipité sur lui. Il s'est dressé sur ses pattes arrière. J'ai tout de suite compris qu'il voulait juste le remercier les yeux dans les yeux pour le bon temps qu'il prenait au rayon frais de l'épicerie. Malheureusement, le résultat, c'est qu'il l'a renversé. Le gérant ne devait pas s'amuser autant que lui, parce que, là, allongé par terre, en plein devant tout le monde, il s'est mis à pleurer. Le chien s'est penché vers lui, soudain inquiet, et lui a léché le visage.

— S'il vous plaît, a gémi l'homme, que quelqu'un appelle la fourrière.

— Une minute ! ai-je protesté. C'est mon chien ! Personne n'appellera la fourrière !

Tous les employés du Winn-Dixie se sont tournés vers moi et m'ont dévisagée. Je me suis dit que j'avais été un peu loin. Un peu bête aussi. Mais ça avait été plus fort que moi. Je ne pouvais pas laisser ce toutou aux mains de la fourrière.

— Au pied ! ai-je appelé.

Le chien a cessé de lécher le gérant, il a dressé les oreilles et m'a contemplée comme s'il essayait de se rappeler d'où on se connaissait.

— Au pied ! ai-je répété.

Puis j'ai pensé que cet animal était sans doute comme n'importe qui sur terre et qu'il ne répondait qu'à son nom. Sauf que je ne savais pas comment il s'appelait. Alors, j'ai dit la première chose qui m'est passée par la tête :

— Ici, Winn-Dixie !

Et il a trottiné jusqu'à moi, comme s'il en avait toujours eu l'habitude.

Le patron s'est assis et m'a jeté un sale regard, l'air de croire que je me moquais de lui.

— C'est son nom, ai-je expliqué. Juré craché !

— On ne t'a pas appris à ne pas emmener ton chien à l'épicerie ? a répliqué l'homme.

— Si, monsieur. C'est une erreur. Désolée. Ça ne se reproduira pas. Allez, viens, Winn-Dixie !

Je me suis éloignée, et il m'a suivie. On a traversé le rayon frais, celui des céréales, puis les caisses. Une fois en sécurité à l'extérieur du magasin, je l'ai examiné de près. Franchement, il n'était pas terrible : grand, mais maigre au point qu'on voyait ses côtes, avec des plaques chauves sur tout le corps, là où le poil ne poussait plus. Bref, il ressemblait à un vieux paillasson qu'on aurait oublié sous la pluie.

— Non mais tu t'es regardé ? lui ai-je demandé. Je parie que tu n'as pas de maître.

Il m'a souri, encore le truc des babines retroussées et des dents dehors. C'était un sourire tellement immense, qu'il en a éternué. C'était comme s'il me déclarait :

— Je sais de quoi j'ai l'air. Tu ne trouves pas ça marrant ?

C'est difficile de ne pas tomber amoureuse

d'un chien qui a le sens de l'humour. Alors, je lui ai dit :

— Bon, voyons un peu ce que le pasteur pensera de toi.

Et, tous les deux, on est partis chez moi.

2

L'été où j'ai trouvé Winn-Dixie est aussi celui où
le pasteur s'est installé à Naomi, en Floride, afin d'y
prendre la charge de l'église baptiste. Papa est un
bon pasteur et un chic type mais, parfois, j'ai du
mal à le considérer comme mon père, parce que,
quand il ne prêche pas, il passe un temps fou à préparer et à écrire ses futurs sermons. Du coup, je
pense toujours à lui comme au « pasteur ». Avant
ma naissance, il était missionnaire en Inde, et c'est
pour ça que je m'appelle India. Mon deuxième
prénom, c'est Opal. Le pasteur l'a choisi parce que
c'était celui de sa mère. Il l'aimait beaucoup.

Bref, sur le chemin de la maison, j'ai expliqué à Winn-Dixie pourquoi je m'appelais comme je m'appelle, et je lui ai appris qu'on venait d'arriver à Naomi. Je lui ai aussi expliqué que le pasteur était un mec sympa, même s'il était trop occupé par ses sermons, ses prières et ses pauvres pour aller faire les courses à l'épicerie.

— Mais tu sais quoi ? lui ai-je dit. Tu es un pauvre chien. Alors, il t'adoptera peut-être tout de suite. Il m'autorisera peut-être à te garder.

Winn-Dixie m'a regardée et a remué la queue. Il boitillait, comme s'il avait mal à une patte. Et j'avoue qu'il puait. Drôlement, même. Il avait beau être moche, je l'aimais quand même déjà de tout mon cœur.

Quand on est arrivés au Caravaning des Amis, j'ai recommandé à Winn-Dixie de rester calme et poli. Le camp n'admettait pas les enfants. La seule raison pour laquelle on m'avait autorisée à y vivre, c'était parce que le pasteur était le pasteur et que j'étais une enfant sage et bien élevée. J'étais ce que M. Alfred, le directeur du Caravaning des Amis, appelait « une exception ». J'ai annoncé à Winn-Dixie qu'il devait se comporter comme une exception lui aussi. Et surtout, je lui ai interdit de se battre avec les chats de M. Alfred ou avec Samuel, le yorkshire teigneux de Mme Detweller. Winn-Dixie ne m'a pas quittée des yeux tout le temps que je lui parlais, et je vous jure qu'il a tout compris.

— Assis ! ai-je ordonné quand nous sommes arrivés à mon mobile home.

Il a aussitôt obéi. Il était bien élevé.

— Pas bouger ! ai-je ajouté. Je reviens tout de suite.

Installé à la table pliante du salon, le pasteur travaillait. Des papiers étaient étalés tout autour de lui, et il se frottait le nez. Chez lui, c'est signe de réflexion. Intense, la réflexion.

— Papa ?

— Mmm ? m'a-t-il répondu.

— Papa, tu dis toujours qu'il faut aider les déshérités, non ?

— Mmm-mmm, a-t-il répété en se frottant le nez et en fouillant dans ses feuilles.

— Eh bien, figure-toi que j'ai trouvé un Déshérité à l'épicerie.

— Vraiment ?

— Oui.

Je l'ai fixé, agacée. Des fois, il me faisait penser à une tortue. Cachée dans sa carapace, elle médite sur le monde mais ne prend jamais la peine de sortir le bout de son nez.

— C'est que... je me demandais juste si ce Déshérité pourrait rester quelque temps avec nous ?

Le pasteur a quand même fini par me regarder.

— Opal, a-t-il soupiré, de quoi diable parles-tu ?

— J'ai trouvé un chien. Je veux le garder.

— Pas question. On en a déjà discuté. Tu n'as pas besoin d'un chien.

— Je sais bien que je n'ai pas besoin d'un chien. C'est lui qui a besoin de moi. Tiens, regarde !

Je suis allée à la porte de la caravane et j'ai appelé :

— Winn-Dixie !

Winn-Dixie a aussitôt dressé les oreilles, m'a adressé son grand sourire et a éternué. Ensuite il a escaladé les marches en boitant puis est allé poser la tête directement sur les genoux du pasteur. En plein sur une pile de papiers.

Le pasteur a contemplé Winn-Dixie. Il a remarqué ses côtes, sa fourrure emmêlée et ses plaques sans poil.

Il a froncé le nez. Comme j'ai dit, ce chien sentait sacrément mauvais.

Winn-Dixie a levé les yeux sur le pasteur. Il a retroussé ses lèvres, il lui a montré ses dents jaunies et tordues, il a agité la queue et envoyé voler ses papiers. Puis il a éternué, et d'autres feuilles ont dégringolé de la table.

— Comment s'appelle-t-il, déjà ? a voulu savoir le pasteur.

— Winn-Dixie, ai-je chuchoté.

C'est que j'avais peur de parler trop fort. Je voyais bien que Winn-Dixie faisait bonne impression au pasteur. Il l'obligeait à sortir la tête de sa carapace.

— Eh bien, a déclaré le pasteur, c'est un chien perdu sans collier ou je ne m'y connais pas.

Il a posé son stylo et a gratté Winn-Dixie derrière les oreilles.

— Et un Déshérité aussi. Pas de doute. Tu cherches une maison ? a-t-il demandé, très tendrement, à Winn-Dixie.

Winn-Dixie a remué la queue.

— Eh bien, ne cherche plus, a repris le pasteur. Je crois que tu viens d'en trouver une.

3

Je me suis tout de suite mise au boulot. J'ai commencé par essayer de rendre Winn-Dixie plus présentable. D'abord, je lui ai donné un bain. Je me suis servie de shampooing pour bébé et du tuyau d'arrosage. Il n'a pas bronché, mais c'était clair qu'il n'aimait pas ça. Pendant toute sa douche, il a pris l'air offensé, ne m'a pas montré ses dents et n'a pas remué la queue. Une fois qu'il a été bien propre et sec, je l'ai brossé vigoureusement. Avec ma brosse à cheveux personnelle, s'il vous plaît. J'ai démêlé les nœuds et les paquets de poils collés ensemble. Ça, ça ne le gênait pas. Il se tortillait du dos, comme s'il trouvait ça super agréable.

Tout le temps que je me suis occupée de lui, je n'arrêtais pas de lui parler. Lui, il m'écoutait. Je lui ai expliqué qu'on se ressemblait.

— Tu vois, ai-je dit, tu n'as pas de famille, et moi non plus. D'accord, j'ai le pasteur. Mais je n'ai pas de maman. Enfin, j'en ai une, mais je ne sais pas où elle est. Elle est partie quand j'avais trois ans. Je ne me la rappelle presque pas. Et je parie que tu ne te souviens plus de ta maman non plus. Donc, tous les deux, on est comme des orphelins.

À ces mots, Winn-Dixie a plongé ses yeux droit dans les miens, à croire qu'il se sentait tout à coup soulagé d'avoir quelqu'un qui comprenne sa situation. J'ai hoché la tête d'un air entendu et j'ai continué :

— Je n'ai même pas d'amis, parce que j'ai dû les laisser à Watley quand nous avons déménagé. Watley, c'est au nord de la Floride. Tu es déjà allé au nord de la Floride ?

Winn-Dixie a baissé la tête, comme s'il essayait de se rappeler.

— Et devine un peu, ai-je ajouté, depuis que nous sommes arrivés ici, je n'ai pas arrêté de penser super hyper fort à maman. Sacrément plus que quand nous étions à Watley.

Winn-Dixie a bougé les oreilles et haussé les sourcils.

— Je crois que le pasteur pense à elle tout le temps aussi. Il l'aime encore. Je le sais, parce que j'ai entendu les dames de Watley, à l'église, papoter là-dessus. Comme quoi il continue d'espérer son retour. Sauf que lui, ce n'est pas ce qu'il dit. D'ailleurs, il ne dit rien. Il ne parle jamais d'elle. Je voudrais bien en savoir plus, mais je n'ose pas lui poser de questions. J'ai peur qu'il ne se mette en colère.

Winn-Dixie m'a dévisagée longtemps, comme s'il essayait de me confier quelque chose.

— Quoi ? lui ai-je demandé.

Il a continué de me fixer.

— Tu crois que je devrais obliger le pasteur à me parler d'elle ?

Winn-Dixie me regardait si intensément qu'il en a éternué.

— Je vais y réfléchir, lui ai-je promis.

Une fois sa toilette terminée, Winn-Dixie avait meilleure allure. Les plaques chauves étaient toujours là, mais le reste de son poil était propre, brillant et doux. Et si on voyait encore ses côtes, je comptais bien le nourrir correctement pour vite changer ça. Par contre, je n'ai rien pu faire contre ses dents jaunies et tordues, parce qu'il était pris d'une crise d'éternuements chaque fois que j'essayais de les frotter avec ma brosse à dents. Du coup, j'ai laissé tomber. L'un dans l'autre, il était beaucoup moins moche, alors je l'ai emmené dans le mobile home pour le montrer au pasteur.

— Papa ?

— Mmm ?

Il était en train de travailler sur un sermon et marmottait dans sa barbe.

— Regarde le nouveau Winn-Dixie, papa.

Le pasteur a posé son stylo, s'est frotté le nez et a levé les yeux.

— Ma parole, s'est-il exclamé en souriant, ça, c'est un beau chien !

Winn-Dixie a rendu son sourire au pasteur, puis il s'est approché de lui et a posé sa tête sur ses genoux.

— Et il sent bon, a poursuivi le pasteur en le flattant de la main.

Je me suis jetée à l'eau avant de perdre mon courage.

— Papa, ai-je annoncé, j'ai parlé à Winn-Dixie.

— Tiens donc ? a-t-il répondu en grattouillant les oreilles du chien.

— Oui, et il est d'accord avec moi. Maintenant que j'ai dix ans, il pense que tu devrais me raconter dix choses sur maman. Dix, pas une de plus.

Le pasteur a cessé de caresser Winn-Dixie. En fait, il s'est carrément figé. J'ai compris qu'il hésitait à se retirer dans sa carapace

— Une pour chaque année de ma vie. S'il te plaît.

Le pasteur a soupiré. Puis il s'est adressé à Winn-Dixie :

— J'aurais dû me douter que tu serais une source d'ennuis.

Ensuite, il m'a regardée et a ajouté :

— Assieds-toi, Opal. Je vais te les dire, ces dix choses.

4

— Un... a commencé le pasteur.

Nous étions assis sur le canapé, Winn-Dixie entre nous deux. Ce chien trouvait déjà le canapé très à son goût.

— Un... a répété le pasteur.

Winn-Dixie l'a contemplé, plein d'espoir.

— Ta maman était drôle. Elle faisait rire tout le monde. Deux, elle avait des cheveux roux et des taches de rousseur.

— Exactement comme moi !

— Exactement comme toi. Trois, elle aimait jardiner. Elle avait la main verte. Elle t'aurait planté un pneu dans la terre que tu aurais récolté une voiture.

Winn-Dixie s'est mis à mordiller sa patte, et je lui ai tapoté la tête pour qu'il arrête.

— Quatre, elle courait très vite. Si tu la défiais à la course, tu n'avais même pas à lui laisser de l'avance, elle gagnait à tous les coups.

— Moi aussi, je suis comme ça. À Watley, j'ai fait la course avec Liam Fullerton, et c'est moi qui ai gagné, et il a dit que ce n'était pas juste et que, pour commencer, les garçons et les filles ne devraient pas courir les uns contre les autres. Je lui ai répondu qu'il était mauvais perdant, un point c'est tout.

Le pasteur a hoché le menton. Il est resté silencieux quelques instants.

— Je suis prête pour le cinq, lui ai-je signalé.

— Cinq, elle était nulle en cuisine. Elle laissait tout brûler, même l'eau. Elle était incapable d'ouvrir une boîte de conserve et elle ne reconnaissait pas un morceau de viande d'un autre. Six...

Le pasteur s'est frotté le nez en regardant le plafond. Winn-Dixie a lui aussi levé les yeux.

— Six, ta maman adorait les histoires. Elle pouvait rester assise des journées entières à écouter des histoires. Elle aimait qu'on lui en raconte. Surtout les drôles, et elle riait aux éclats.

Le pasteur a hoché la tête, comme s'il était d'accord avec lui-même.

— Sept ? ai-je demandé.

— Voyons un peu... Elle connaissait toutes les constellations, toutes les planètes. Jusqu'à la plus petite. Par leur nom. Elle savait où les situer dans le ciel. Et elle ne se lassait jamais de les observer.

Le pasteur a fermé les yeux.

— Huit, a-t-il repris, elle détestait être femme de pasteur. Elle ne supportait pas que les dames, à l'église, portent des jugements sur ses vête-ments, sur sa cuisine et sur sa façon de chanter. Ça lui donnait, disait-elle, l'impression d'être un microbe observé au microscope.

Winn-Dixie s'est allongé de tout son long, son nez sur les genoux du pasteur et sa queue sur les miens.

— Dix, a poursuivi le pasteur.

— Neuf, l'ai-je corrigé.

— Neuf, elle buvait. De la bière. Du whisky. Du vin. Parfois, elle n'arrivait pas à s'arrêter. À cause de cela, ta maman et moi, nous nous dis-putions très fort. Dix...

Il a poussé un très long soupir.

— Dix, ta maman t'aimait. Elle t'aimait énor-
mément.

— Ça ne l'a pas empêchée de m'abandonner.

— De *nous* abandonner, a murmuré le pasteur.

J'ai bien vu qu'il était en train de rentrer sa
vieille tête de tortue dans sa stupide carapace de
tortue.

— Elle a plié bagage et nous a quittés. Sans
rien laisser derrière elle.

— Bon, ai-je dit en sautant du canapé, Winn-
Dixie sur mes talons. Merci de m'avoir parlé
d'elle.

J'ai filé dans ma chambre pour noter les dix
choses que le pasteur m'avaient racontées. Je les
ai écrites exactement comme il les avait dites.
Comme ça, je ne les oublierais pas. Après, je les
ai lues tout haut à Winn-Dixie jusqu'à ce que je
les sache sur le bout des doigts. Je voulais les
apprendre par cœur. De cette façon, si jamais
maman revenait, je la reconnaîtrais. Alors, je
serais capable de l'attraper et de la retenir très
fort pour l'empêcher de repartir sans moi.

5

Winn-Dixie ne supportait pas de rester seul. Nous l'avons découvert très vite. Si le pasteur et moi partions en le laissant dans la caravane, il massacrait les coussins du divan et dévidait le rouleau de papier toilette. Alors, on l'a attaché dehors avec une corde. Ça n'a pas marché non plus. Winn-Dixie hurlait jusqu'à ce que Samuel, le chien de Mme Detweller s'y mette aussi. Ce qui était exactement le genre de potin que le caravaning interdit aux enfants n'appréciait pas.

— C'est juste qu'il n'aime pas être seul, ai-je

expliqué au pasteur. Rien d'autre. On n'a qu'à l'emmener avec nous.

Je comprenais parfaitement Winn-Dixie. Être abandonné lui arrachait sans doute le cœur.

Le pasteur a fini par céder. Désormais, partout où on allait, on traînait Winn-Dixie avec nous. Même à l'église.

L'église baptiste de Naomi n'est pas un temple ordinaire. Avant, c'était une épicerie ouverte 24/24. Le seuil franchi, la première chose qu'on voit, c'est un vieux slogan publicitaire. Il est écrit par terre en minuscules carreaux rouges qui forment de grandes lettres : « SERVICE À TOUTE HEURE ! » Le pasteur a bien tenté de peindre les carreaux, mais la couleur ne tient pas dessus. Alors, il a renoncé.

L'autre chose qui distingue cette église des autres, c'est qu'elle n'a pas de bancs. Chacun apporte sa propre chaise pliante. Du coup, l'assemblée a plus souvent l'air d'un tas de curieux venus voir défiler les majorettes ou d'une bande d'amis réunis pour un barbecue que d'un groupe de fidèles. Bref, c'est une église un peu bizarre, et je me suis dit que Winn-Dixie ne détonnerait pas.

Sauf que, la première fois que nous l'avons amené, le pasteur l'a attaché à l'extérieur.

— Pourquoi l'avoir pris avec nous si c'est pour le laisser dehors ? ai-je demandé.

— Parce que les chiens n'ont pas leur place au temple Opal. Voilà pourquoi.

Il a noué la corde de Winn-Dixie à un arbre, tout en m'assurant qu'il y avait plein d'ombre et que ça allait marcher comme sur des roulettes.

Tu parles ! Le service a commencé. Il y a eu les chants, la communion, les prières, puis le pasteur a entamé son prêche. Il n'avait pas prononcé plus de deux ou trois mots quand, dehors, un hurlement affreux a retenti.

Le pasteur a bien essayé de faire comme si de rien n'était.

— Aujourd'hui, a-t-il lancé.

— Ouaaaahhhh ! a dit Winn-Dixie.

— Chers amis, a continué le pasteur.

— Ouaaaahhhh ! a répondu Winn-Dixie.

— Nous sommes réunis, s'est entêté le pasteur.

— Ouaaaahhhh ! a pleuré Winn-Dixie.

Tout le monde s'est trémoussé sur sa chaise pliante en se regardant.

— Opal ? m'a lancé le pasteur.

— Ouaaaahhhh ! est intervenu Winn-Dixie.

— Oui ? ai-je demandé.

— Va chercher ce fichu chien ! m'a crié le pasteur.

— À vos ordres !

Je suis sortie, j'ai détaché Winn-Dixie et je l'ai ramené dans l'église. Il s'est assis à côté de moi et a souri au pasteur. Qui n'a pas pu s'empêcher de lui sourire à son tour. Winn-Dixie avait cet effet-là, sur lui.

Puis il a repris son sermon. Winn-Dixie l'écoutait attentivement, ses oreilles frétillant à droite et à gauche, essayant de capter tous les mots. Bref, tout aurait été formidable si une souris n'était pas passée devant nous à ce moment-là.

L'église en était infestée. Ça datait du temps où le bâtiment était encore une épicerie pleine de bonnes choses à manger. Quand il avait été transformé en lieu de culte, les souris étaient restées pour grignoter les miettes des repas organisés à la fortune du pot par les fidèles. Le pasteur n'avait pas arrêté de répéter qu'il allait régler le problème, mais il ne s'y était jamais attaqué. La vérité, c'est qu'il ne supportait pas l'idée de faire du mal à qui que ce soit, même aux rongeurs.

En tout cas, Winn-Dixie a aperçu la souris, et

il l'a aussitôt prise en chasse. Jusque-là, tout avait été calme et sérieux, avec le pasteur parti pour réciter son sermon pendant des heures. La seconde d'après, Winn-Dixie s'est transformé en tornade poilue qui dévastait l'église. Il aboyait comme un fou et glissait sur le carrelage poli. Les fidèles battaient des mains, braillaient, tendaient le doigt. Quand Winn-Dixie a fini par coincer la bestiole, ça a été un véritable tohu-bohu.

— C'est la première fois de ma vie que je vois un chien attraper une souris, m'a confié Mme Nordley qui était assise à côté de moi.

— C'est un chien un peu spécial, lui ai-je répondu.

— J'avais compris, figure-toi.

La queue battante, Winn-Dixie était assis devant nous. Il tenait sa proie très délicatement dans sa gueule, en serrant bien mais pas trop, pour ne pas l'écraser.

— Ce clébard doit avoir du sang de retriever, a lancé quelqu'un derrière moi. Un vrai chien de chasse.

Winn-Dixie s'est approché et a laissé tomber sa prise aux pieds du pasteur. Quand elle a voulu s'enfuir, il a posé sa patte en plein sur sa queue. Puis, tout content, il a montré ses dents au pasteur. Celui-ci a contemplé la souris. Puis Winn-Dixie. Puis moi. Il s'est gratté le nez. Un silence de mort s'était abattu sur l'église.

— Prions pour cette souris, a finalement déclaré le pasteur.

Tout le monde a tapé des mains en rigolant. Le pasteur a ramassé l'animal par la queue puis est allé le jeter dehors sous de nouveaux applaudissements.

Quand il est revenu, on a prié. J'ai prié pour maman. J'ai expliqué à Dieu combien elle aurait adoré l'histoire de Winn-Dixie et de la souris. Elle l'aurait fait rire. J'ai demandé à Dieu qu'il me permette d'être celle qui la lui raconterait, un jour.

Après, je lui ai confessé à quel point je me sentais seule à Naomi, parce que je ne connaissais pas beaucoup d'enfants, mis à part ceux qui fréquentaient l'église. Et ils n'étaient pas nombreux. Juste Dunlap et Stevie Dewberry, deux frères qui n'étaient pas des jumeaux mais semblaient l'être. Et puis Amanda Wilkinson dont le visage était toujours pincé, comme pour éviter de respirer une mauvaise odeur – une vraie tête d'enterrement, celle-là. Et Sweetie Pie Thomas, qui n'avait que cinq ans, encore presque un bébé, quoi. De toute façon, aucun d'eux ne voulait être mon ami, sûrement parce qu'ils pensaient que je moucharderais leur moindre bêtise au pasteur et qu'ils risquaient d'avoir des embêtements avec Dieu et leurs parents. Bref, j'ai avoué à Dieu que j'étais drôlement seule, malgré Winn-Dixie.

J'ai terminé en priant pour la souris, comme nous y avait invités le pasteur. J'ai prié pour qu'elle ne se soit pas blessée quand il l'avait expédiée dehors. J'ai prié pour qu'elle ait atterri sur une chouette touffe d'herbe bien moelleuse.

6

Cet été-là, j'ai passé pas mal de temps à la bibliothèque Herman W. Block. La bibliothèque Herman W. Block, ça sonne comme un endroit rigolo, mais ce n'est pas le cas. C'est juste une vieille maisonnette pleine de livres dont s'occupe Mlle Franny Block. Mlle Franny Block est une toute petite dame très âgée aux cheveux gris coupés court. Elle a été ma première amie, à Naomi.

Tout a commencé à cause de Winn-Dixie, qui n'aimait pas que j'aille à la bibliothèque, parce que lui ne pouvait pas y entrer. Mais je lui avais montré qu'il n'avait qu'à se dresser sur ses pattes arrière pour regarder par la fenêtre et me voir en train de choisir mes livres. Tout allait bien tant qu'il m'apercevait. Le truc, c'est que, la première fois que Mlle Franny Block a découvert Winn-Dixie debout sur ses pattes arrière en train de nous scruter derrière son carreau, elle l'a pris pour autre chose qu'un chien. Elle l'a pris pour un ours.

Voici comment ça s'est passé : chantonnant tout bas, j'examinais les livres que je voulais emprunter quand, soudain, un immense hurlement terrifié a secoué la maison. Je me suis précipitée vers l'entrée et, là, j'ai vu Mlle Franny Block, assise par terre, derrière son bureau.

— Tout va bien, Mlle Franny ? ai-je demandé.

— Un ours !

— Un ours ?

— Il est revenu.

— Ah bon ? Et où est-il ?

— Là, dehors !

Et elle a pointé le doigt sur Winn-Dixie qui, droit comme un I, me cherchait à travers la fenêtre.

— Ce n'est pas un ours, Mlle Franny, c'est un chien. Mon chien. Winn-Dixie.

— Tu en es certaine ?

— Absolument. Il est à moi, je le reconnaîtrais entre tous.

Tremblante et frissonnante, Mlle Block n'a pas bronché.

— Tiens, lui ai-je lancé, laissez-moi vous aider. Tout va bien.

J'ai tendu la main, Mlle Block l'a attrapée, et je l'ai relevée. Elle ne pesait presque rien. Une fois debout, elle a eu l'air toute gênée, me disant que je devais la prendre pour une vieille sotte. Mais c'était parce qu'elle avait eu une mauvaise expérience avec un ours qui était entré dans la bibliothèque Herman W. Block des années plus tôt, ce dont elle ne s'était jamais vraiment remise.

— Que s'est-il passé ? ai-je demandé.

— C'est une longue histoire.

— Super ! Je suis comme maman, j'adore les histoires. Mais avant que vous ne commenciez, est-ce que Winn-Dixie peut entrer et vous écouter aussi ? Il n'aime pas être séparé de moi.

— Euh... Je ne sais pas... Les chiens sont interdits à la bibliothèque Herman. W. Block.

— Il sera sage. C'est un chien qui va à l'église, figurez-vous.

Et avant qu'elle ait pu protester, je suis sortie chercher Winn-Dixie. Il m'a suivie à l'intérieur et s'est affalé avec un gros soupir de soulagement aux pieds de Mlle Franny.

— C'est un sacré grand chien, a-t-elle commenté en le regardant.

— En effet. Un grand chien avec un cœur grand comme ça.

— Ah bon ! !

Elle s'est penchée pour caresser la tête de Winn-Dixie, qui a agité la queue et a vaguement reniflé ses petits pieds de vieille dame.

— Bon, a-t-elle repris, laisse-moi m'asseoir et te raconter cette histoire.

7

— À l'époque où la Floride était encore une contrée sauvage, a commencé Mlle Franny Block, quand elle n'était plantée que de palmiers et peuplée que de moustiques si énormes qu'ils étaient capables de soulever un homme, alors que je n'étais qu'une fillette comme toi, mon père, Herman W. Block, m'a annoncé un beau jour qu'il m'offrirait ce que je voulais pour mon anniversaire. Je n'avais qu'à demander.

Mlle Franny a contemplé la bibliothèque, puis s'est penchée vers moi.

— Sans me vanter, m'a-t-elle confié, mon père était un homme riche, très riche.

Avec un hochement de tête, elle s'est redressée et a poursuivi :

— J'étais une petite fille qui adorait lire. Alors, je lui ai dit : « Papa, j'aimerais beaucoup avoir une bibliothèque pour mon anniversaire. Une bibliothèque serait formidable. »

— Vous lui avez demandé une bibliothèque ? !

— Une petite. J'avais envie d'une maisonnette avec rien que des livres. Je désirais aussi que les autres en profitent. Et mon vœu a été exaucé. Mon père m'a construit cet endroit, celui-là même où nous sommes assises en ce moment. Très jeune, je suis donc devenue bibliothécaire. Rien de moins !

— Et l'ours ?

— T'ai-je précisé que la Floride était une contrée sauvage, à l'époque ?

— Oui, oui.

— Très sauvage. Pleine d'hommes sauvages, de femmes sauvages et de bêtes sauvages.

— Comme des ours.

— Exactement ! Il faut que je t'avoue que j'étais une vraie mademoiselle-je-sais-tout. Je faisais ma maligne, avec ma maison pleine de livres. Ça oui, je pensais avoir réponse à tout, tu peux me croire. Bref, un mardi, j'étais assise dans ma bibliothèque, toutes portes et fenêtres ouvertes, plongée dans un roman, quand une ombre a brusquement envahi mon bureau. Sans même prendre la peine de regarder le nouveau venu – quelle insolence, non ? – j'ai lancé : « Vous cherchez quelque chose de précis ? » Pas de réponse. J'ai cru qu'il s'agissait d'une homme ou d'une femme sauvage qu'intimidaient tous ces livres, qui n'osait pas parler. Puis j'ai senti une odeur bizarre, une odeur très forte. Calmement, j'ai redressé la tête. Et là, debout face à moi, se tenait – tiens-toi bien ! – un ours ! Un très grand ours.

— Grand comment ?

— Oh, grand comme... trois fois ton chien, peut-être.

— Et alors, qu'est-ce qui s'est passé ?

— Eh bien, je l'ai regardé, il m'a regardée. Il a levé son gros nez et a humé la pièce, l'air de se demander s'il était ou non d'humeur à manger une petite-bibliothécaire-je-sais-tout. Moi j'étais figée sur ma chaise. Puis je me suis dit qu'il n'était pas question que je me laisse dévorer sans réagir.

Ça, non ! Alors, lentement, très lentement, j'ai brandi le livre que j'étais en train de lire.

— C'était quoi ?

— *La Guerre et La Paix*, un vrai pavé. Je l'ai soulevé doucement, j'ai pris le temps de bien viser et je l'ai jeté à la tête de l'ours en criant : « Fiche le camp ! » Et tu sais quoi ?

— Non.

— Il a fichu le camp. Mais ce que je n'oublierai jamais, c'est qu'il a emporté le livre.

— Non !

— Si ! C'est comme je te le dis ! Il l'a attrapé au vol et s'est enfui.

— Est-il revenu ?

— Non. Je ne l'ai jamais revu. Les hommes, en ville, ont pris l'habitude d'en plaisanter. « On a croisé votre ours dans les bois, aujourd'hui, mademoiselle Franny, qu'ils disaient, il lisait ce fameux livre et il trouve que c'est un super bouquin et est-ce que vous seriez d'accord pour qu'il le garde encore une semaine ? » Tel quel ! Ils se moquaient de moi.

Elle a soupiré.

— J'imagine, a-t-elle repris, que je suis la seule survivante de cette époque. La seule à me rappeler cet ours. Tous mes amis, tous ceux que je connaissais sont morts et enterrés.

Elle a soupiré encore une fois. Elle avait l'air triste, vieille et ridée. Moi aussi, il m'arrivait de me sentir comme ça, sans amis dans cette nouvelle ville et sans maman pour me réconforter. J'ai soupiré aussi.

Winn-Dixie a soulevé la tête de ses pattes et nous a regardées tour à tour, elle et moi. Il s'est assis et a montré ses dents à Mlle Franny.

— Regarde-moi ça ! s'est-elle écriée. Il me sourit !

— C'est un de ses dons, ai-je expliqué.

— Un don magnifique, en tout cas. Vraiment magnifique.

Et elle a rendu son sourire à Winn-Dixie.

— On pourrait être amis, ai-je proposé à Mlle Franny. Je veux dire, vous, moi et Winn-Dixie.

Mlle Franny était radieuse.

— Eh bien, ça serait grandiose, a-t-elle répondu, tout simplement grandiose !

Au même instant, à la minute même où tous les trois nous décidions de devenir amis, devinez qui débarque à la bibliothèque Herman. W. Block ? Cette tête d'enterrement d'Amanda Wilkinson !

Elle a foncé sur le bureau de Mlle Franny et a aboyé :

— Je viens de terminer le livre de lecture pour les C.M.2 que vous m'avez recommandé et je l'ai beaucoup aimé. Je voudrais quelque chose d'encore plus difficile à lire, parce que je suis une bonne lectrice, maintenant.

— Je sais, ma chérie, a acquiescé Mlle Franny en se levant.

Amanda m'a royalement ignorée. Elle n'a même pas daigné me regarder.

— Je croyais que les chiens étaient interdits à la bibliothèque, a-t-elle fait remarquer à Mlle Franny tandis qu'elles s'éloignaient vers les rayonnages.

— Pas tous, a répliqué la vieille dame. Il y a des privilégiés.

Sur ce, elle s'est retournée et m'a lancé un clin d'œil. Je lui ai souri. Je venais juste de rencontrer ma première amie à Naomi, et il n'était pas question que quelqu'un me gâche ce plaisir, surtout pas cette tête d'enterrement d'Amanda Wilkinson.

8

Sur les plaques chauves de Winn-Dixie, les poils
ont commencé à repousser, et le poil qui n'était
pas tombé s'est mis à briller, vigoureux. Winn-
Dixie a également cessé de boiter. On voyait tout
de suite qu'il était fier d'être aussi beau, de ne
plus ressembler à un vieux chien perdu sans collier. Alors, je me suis dit que ce dont il avait
besoin, maintenant, c'était d'un collier. Et d'une
laisse. Je suis allée aux Animaux-de-Gertrude, où
ils vendaient des poissons et des serpents, des
souris et des lézards, des cochons d'Inde et des
tas d'accessoires pour les bêtes. Je suis tombée

sur un magnifique collier en cuir rouge avec laisse assortie.

Comme Winn-Dixie n'avait pas le droit d'entrer – une grande pancarte disait : « CHIENS INTERDITS »-, j'ai brandi mes trouvailles à travers la vitrine. De l'autre côté, Winn-Dixie a retroussé ses babines, a montré ses dents, a éternué et a agité la queue comme un fou. J'ai bien compris qu'il raffolait de cet ensemble collier-laisse. Malheureusement, il coûtait très cher.

Je me suis résolue à exposer mon problème au gars qui se tenait derrière le comptoir.

— Je n'ai pas assez d'argent de poche pour m'offrir quelque chose d'aussi chouette, lui ai-je dit, mais j'adore ce collier et cette laisse, et mon chien aussi, et je me demandais si, par hasard, vous ne pourriez pas me proposer une vente à tempérament.

— Une vente à tempérament ? a répété le type.

— Gertrude ! a crié quelqu'un d'une voix très mécontente.

Je me suis retournée. C'était un perroquet. Assis au sommet d'un aquarium, il me toisait sans ciller.

— Des facilités de paiement, quoi ! ai-je expliqué en ignorant l'oiseau. Vous savez, genre je vous promets de vous donner mon argent de poche chaque semaine, et vous m'autorisez à prendre le collier et la laisse maintenant.

— Je ne crois pas que ça va être possible, m'a répliqué le vendeur en secouant la tête. La propriétaire n'apprécierait pas.

Il a baissé les yeux sur son comptoir. Il n'osait pas me regarder. Il avait d'épais cheveux noirs, gominés en arrière, comme ceux d'Elvis Presley. Il portait un badge avec son nom, Otis.

— Et si je travaillais pour vous ? ai-je proposé. Je balaierais, j'époussetterais les étagères, je sortirais les poubelles. J'en serais parfaitement capable.

J'ai examiné le magasin. Le sol était couvert de sable, d'écorces de graines de tournesol et de grosses pelotes de poussière. Un coup de balai n'aurait pas fait de mal.

— Euh..., a répondu Otis sans quitter son comptoir des yeux.

— Gertrude ! a piaillé le perroquet une nouvelle fois.

— Je suis super fiable, ai-je insisté. Je viens juste d'arriver en ville, mais papa est pasteur. Il travaille à l'église baptiste, donc, je suis hyper honnête. Le seul problème, c'est Winn-Dixie, mon chien, il faudrait qu'il puisse entrer ici avec moi, parce que si je le laisse seul trop longtemps, il se met à hurler quelque chose d'horrible.

— Gertrude n'aime pas les chiens, a déclaré Otis.

— C'est la propriétaire ?

— Oui... Je veux dire, non... Je veux dire...

Il a fini par lever la tête et a tendu le doigt vers l'aquarium.

— C'est elle, Gertrude. Le perroquet. C'est une femelle. Je l'ai appelée comme la propriétaire.

— Gertrude joli zoziau ! a piaillé la dame perroquet.

— Si ça se trouve, elle aimerait Winn-Dixie, ai-je assuré à Otis. Tout le monde l'aime. Il devrait peut-être entrer pour faire connaissance. Si ces deux-là s'entendent, vous me donnez le boulot. D'accord ?

— Faut voir, a marmotté Otis en s'intéressant une fois de plus à son comptoir.

Je suis allée ouvrir la porte, et Winn-Dixie a trotté à l'intérieur.

— Chien ! a hurlé Gertrude.

— Merci, j'avais reconnu ! lui a lancé Otis.

Gertrude est devenue toute calme. Plantée sur l'aquarium, elle a penché la tête d'un côté puis de l'autre, examinant Winn-Dixie. Winn-Dixie la fixait aussi. Il ne bougeait presque pas. Il ne remuait pas la queue, il ne souriait pas, il n'éternuait pas, il se contenait d'observer Gertrude qui l'observait aussi. Finalement, elle a déployé ses ailes en grand, s'est envolée et a atterri sur le crâne de Winn-Dixie.

— Chien ! a-t-elle lâché d'une voix rauque.

Winn-Dixie a battu de la queue. Un tout petit peu.

— Tu commences lundi, m'a annoncé Otis.

— Merci. Vous ne le regretterez pas.

En sortant de la boutique, j'ai dit à Winn-Dixie :

— Tu sais te faire des amis comme personne. Si maman te connaissait, je parie qu'elle penserait que tu es le meilleur chien du monde.

Comme Winn-Dixie, tête en l'air, me souriait et que, moi, tête baissée, je lui souriais, aucun de nous deux ne regardait où il allait, et on a failli renverser Sweetie Pie Thomas. Postée devant la vitrine des Animaux-de-Gertrude, elle épiait ce qui se passait à l'intérieur en suçant la phalange de son majeur.

Elle a retiré son doigt de sa bouche et m'a contemplée. Ses yeux étaient deux grosses billes rondes.

— L'oiseau s'est assis sur le chien, hein ? a-t-elle demandé.

Elle avait noué ses cheveux en queue de cheval avec un ruban rose. Enfin, queue de cheval, façon de parler. C'était surtout beaucoup de ruban autour de quelques petites mèches.

— Oui, ai-je répondu.

— J'ai tout vu !

Elle a hoché le menton et a remis son doigt dans sa bouche. Puis elle l'a retiré très vite.

— Je l'ai aussi vu à l'église, ton chien. Il a attrapé une souris. Je veux un chien juste pareil, mais ma maman veut pas. Elle dit que si je suis très sage, je pourrai avoir un poisson rouge ou un hamster. C'est ça qu'elle dit. Je peux le toucher, ton chien ?

— Bien sûr.

Sweetie Pie a caressé la tête de Winn-Dixie si longtemps et avec tant d'application qu'il a fermé à demi les paupières et s'est mis à saliver.

— J'aurai six ans en septembre, m'a appris Sweetie Pie. J'arrêterai de sucer mon doigt quand

j'aurai six ans. Il y aura une fête. Tu veux venir ?
Le thème, ce sera le rose. Tous en rose !

— Super !

— Et ton chien, il viendra aussi ?

— Il ne manquerait ça pour rien au monde.

Soudain, je me suis sentie heureuse. J'avais un
chien. J'avais un boulot. J'avais Mlle Franny
Block pour amie. Et j'avais ma première invita-
tion à une fête. Tant pis si elle venait d'une fillette
de cinq ans, tant pis si elle n'aurait lieu qu'en septembre. J'avais l'impression de ne plus être aussi
seule.

9

Presque tout ce qui m'est arrivé cet été-là, m'est arrivé à cause de Winn-Dixie. Sans lui, par exemple, je n'aurais jamais rencontré Gloria Dechett. C'est lui qui nous a présentées.

Voici comment ça s'est passé : je rentrais des Animaux-de-Gertrude sur mon vélo, Winn-Dixie courant à côté de moi. Nous avons longé la maison de Dunlap et Stevie Dewberry qui, quand ils nous ont vus, ont sauté sur leurs bicyclettes et nous ont suivis. Ce n'est pas qu'ils voulaient s'amuser avec moi. Non, ils restaient en arrière et chuchotaient des trucs dans mon dos. Ni l'un ni l'autre n'avait de cheveux sur la tête, parce que, l'été, leur maman leur rasait le crâne une fois par semaine, depuis la fois où Dunlap avait attrapé des puces à cause de leur chatte, Sadie. Du coup, ils ressemblaient à deux gros bébés chauves identiques, même s'ils n'étaient pas jumeaux. Dunlap avait dix ans, comme moi, et Stevie neuf, mais il était grand pour son âge.

— J'entends ce que vous dites, leur ai-je crié. J'entends tout !

Sauf que ce n'était pas vrai.

Soudain, Winn-Dixie a filé devant.

— Attention ! a braillé Dunlap. Ton chien se sauve droit vers la maison de la sorcière.

— Winn-Dixie ! ai-je appelé.

Mais il a accéléré, a sauté par-dessus une barrière et a disparu dans le jardin le plus fouillis que j'aie jamais vu. Une vraie jungle !

— T'as intérêt à le sortir de là, m'a conseillé Dunlap.

— La sorcière va le bouffer, a précisé Stevie.

— La ferme ! leur ai-je lancé.

Descendant de vélo, je me suis approchée de la barrière et j'ai crié :

— Winn-Dixie ! Viens ici tout de suite !

Il ne m'a pas obéi.

— Si ça se trouve, a rigolé Stevie, elle le mange déjà.

Lui et Dunlap se tenaient juste derrière moi.

— Elle passe son temps à boulotter les chiens des autres, a-t-il ajouté.

— Fichez-moi le camp, gros bébés chauves ! ai-je braillé.

— Hé ! a protesté Dunlap. C'est pas une façon très sympa de parler, pour une fille de pasteur.

Mais lui et son frère ont légèrement reculé.

Moi, je réfléchissais. Finalement, j'en suis arrivée à la conclusion que j'avais plus peur de perdre Winn-Dixie que d'affronter une sorcière dévoreuse de chien, alors j'ai franchi la barrière et me suis enfoncée dans le jardin.

— La sorcière va avaler ton chien pour le dîner et toi pour le dessert ! a déclaré Stevie.

— On racontera au pasteur ce qui t'est arrivé ! a hurlé Dunlap dans mon dos.

À cet instant, je m'étais déjà enfoncée loin dans la jungle. Il poussait de tout là-dedans. Des fleurs, des légumes, des arbres et des lierres.

— Winn-Dixie ?

— Ah ! ah ! ah ! ai-je entendu. Ce chien ne manque pas d'appétit !

J'ai contourné un très gros arbre couvert de mousse, et je suis tombée sur Winn-Dixie. Il était en train de manger dans la main de la sorcière. Elle a levé les yeux sur moi.

— Ce chien adore le beurre de cacahuète, m'a-t-elle dit. On devrait toujours faire confiance à un chien qui aime le beurre de cacahuète.

Elle était vieille, avec une peau sombre et ridée. Elle portait un grand chapeau avachi couvert de fleurs et elle n'avait pas de dents, mais elle n'avait pas l'air d'une sorcière. Elle avait l'air chouette. Et je voyais bien que Winn-Dixie l'appréciait.

— Désolée qu'il soit entré dans votre jardin, me suis-je excusée.

— Inutile d'être désolée, j'aime bien avoir de la compagnie, de temps en temps.

— Je m'appelle Opal.

— Et moi, Gloria Dechett. Quel nom horrible, hein ? Dechett !

— Moi, c'est Buloni. Des fois, les autres, à la cantine, chez moi à Watley, ils m'appelaient Buitoni.

— Ah ! ah ! ah ! a rigolé Gloria Dump. Et ce chien, comment s'appelle-t-il ?

— Winn-Dixie.

Winn-Dixie a tapé par terre avec sa queue. Il

a essayé de sourire, mais ce n'était pas facile, avec sa bouche pleine de beurre de cacahuète.

— Winn-Dixie ? Comme l'épicerie ?

— Oui.

— Eh ben ça, ça remporte la palme des noms bizarres, tu ne crois pas ?

— Oui.

— J'allais me préparer un sandwich au beurre de cacahuète. Tu en veux un ?

— Ouais, d'accord. Enfin, oui merci.

— Assieds-toi, m'a-t-elle dit en me montrant une chaise longue dont le dossier était tout cassé. Mais sois prudente.

Je me suis donc posée prudemment, tandis que Gloria Dechett tartinait du beurre de cacahuète sur du pain blanc pour moi. Ensuite, elle s'est préparée un sandwich et a mis son dentier pour le manger. Quand elle a eu terminé, elle m'a dit :

— Tu sais, mes yeux n'y voient plus guère. Je ne distingue que des silhouettes grossières, alors je suis obligée de compter sur mon seul cœur. Et si tu me parlais de toi ? Comme ça, je te verrais avec mon cœur.

Parce que Winn-Dixie la regardait comme si elle était la plus belle chose du monde, parce que son sandwich au beurre de cacahuète avait été délicieux, et parce que ça faisait un sacré moment que j'attendais de pouvoir tout raconter de moi à quelqu'un, je me suis un peu lâchée.

10

Je n'ai rien caché à Gloria Dechett. Je lui ai expliqué que le pasteur et moi venions d'arriver à Naomi, et que j'avais dû laisser tous mes amis à Watley. Je lui ai dit que maman était partie, et que j'avais dressé la liste des dix choses que je savais d'elle. Je lui ai aussi avoué que, à Naomi, elle me manquait plus que jamais. Je lui ai parlé de ma théorie sur le pasteur qui jouait les tortues en se cachant tout le temps dans sa carapace. Je lui ai raconté comment j'avais trouvé Winn-Dixie au rayon frais de l'épicerie et comment, grâce à lui, j'étais devenue amie avec Mlle Franny Block, j'avais décroché un petit boulot pour un type du nom d'Otis aux Animaux-de-Gertrude et j'avais été invitée à l'anniversaire de Sweetie Pie Thomas. J'ai même confié à Gloria Dechett que Dunlap et Stevie Dewberry la traitaient de sorcière. Mais je l'ai rassurée aussitôt en lui disant qu'ils n'étaient que deux garçons stupides, méchants et chauves et que je ne les croyais pas, en tout cas, plus maintenant.

Et, tout ce temps-là, Gloria Dechett m'a écoutée, hochant parfois la tête, souriant, fronçant les sourcils, lançant des « Mmm » et des « Tiens donc ! ».

Je sentais qu'elle m'écoutait de tout son cœur, et c'était bon.

— Tu sais quoi ? m'a-t-elle demandé, quand j'ai eu fini.

— Quoi ?

— Si ça se trouve, ta mère t'a légué autre chose que tes cheveux roux, tes taches de rousseur et ton don pour courir vite.

— Ah bon ? Et quoi donc ?

— La main verte, peut-être. Si nous plantions quelque chose, toutes les deux, histoire de tester tes talents de jardinière ?

— D'accord.

Gloria Dechett a décidé que je planterai un arbre. Enfin, elle a dit que c'en était un. Pour moi, ce n'était qu'une petite pousse de rien du tout. Sous ses directives, j'ai creusé un trou, j'y ai mis l'arbre et j'ai tassé la terre comme il faut tout autour, comme si je couchais un bébé.

— Qu'est-ce que c'est, comme arbre ? ai-je demandé.

— Un attends-de-voir.

— Ça veut dire quoi, ça ?

— Ça veut dire que tu attends qu'il pousse pour savoir ce que c'est.

— Je peux venir vérifier demain ?

— Aussi longtemps que cet endroit sera mon jardin, tu y seras la bienvenue, ma douce. Mais cet arbre n'aura pas beaucoup évolué d'ici demain.

— C'est que j'ai aussi envie de vous voir, vous.

— Pfff ! Je n'ai l'intention d'aller nulle part. Je serai ici.

J'ai réveillé Winn-Dixie. Il avait du beurre de cacahuète dans les moustaches. Il s'est étiré en bâillant et a léché la main de Gloria Dechett avant de partir. Moi, j'ai dit merci.

Ce soir-là, en me couchant, j'ai raconté au pasteur que j'avais décroché un boulot chez Gertrude, que j'étais devenue l'amie de Mlle Franny Block, que j'avais été invitée à l'anniversaire de Sweetie Pie et que j'avais rencontré Gloria Dechett. Allongé par terre, Winn-Dixie attendait que le pasteur s'en aille pour sauter sur le lit, comme d'habitude. Quand je me suis tue, le pasteur m'a embrassée, m'a souhaité bonne nuit, puis il s'est penché et a embrassé Winn-Dixie sur le sommet du crâne.

— Allez, lui a-t-il lancé, tu peux t'installer sur le lit, maintenant.

Winn-Dixie a regardé le pasteur. Il ne lui a pas souri, mais a ouvert sa gueule en grand, comme s'il hurlait de rire, comme si le pasteur venait de lui raconter la blague du siècle, et ce qui m'a le plus étonnée, c'est que le pasteur a rigolé lui aussi. Winn-Dixie a grimpé près de moi, le pasteur s'est redressé et a éteint la lumière. J'ai fait un bisou à Winn-Dixie, en plein sur la truffe, mais il ne s'en est pas aperçu. Il s'était endormi et ronflait déjà.

11

Cette nuit-là, il y a eu un sacré orage. Ce ne sont ni le tonnerre ni les éclairs qui m'ont réveillée. C'est Winn-Dixie, qui se frappait la tête contre la porte de ma chambre en gémissant.

— Winn-Dixie, qu'est-ce que tu fabriques ? ai-je demandé.

Il m'a complètement ignorée. Il a continué à se cogner et à geindre. Je me suis levée, ai posé ma main sur sa tête. Il tremblait si fort que ça m'a flanqué la trouille. Je me suis agenouillée et l'ai pris dans mes bras, mais il ne s'est pas tourné vers moi, ne m'a pas souri, n'a pas éternué, n'a pas remué la queue, bref, il ne s'est pas du tout comporté comme le Winn-Dixie normal. Il a juste donné encore et encore de la tête contre la porte, a encore et encore pleuré, a encore et encore frissonné.

— Tu veux sortir ? C'est ça, hein ?

Je me suis relevée et j'ai ouvert la porte. Winn-Dixie a déguerpi comme si un monstre terrifiant le pourchassait.

— Winn-Dixie, ai-je chuchoté, reviens ici !

Je n'avais pas envie qu'il réveille le pasteur, avec sa sarabande.

Trop tard ! Il était déjà à l'autre bout du mobile home, dans la chambre de celui-ci. Je l'ai deviné en entendant un boiiing ! – Winn-Dixie qui sautait sur le lit – puis une exclamation stupéfaite du pasteur. Deux secondes plus tard, Winn-Dixie est ressorti à fond de train, haletant. J'ai essayé de l'attraper, mais il a été trop rapide pour moi.

— Opal ? a lancé le pasteur.

Il se tenait sur le seuil de sa chambre, cheveux ébouriffés au sommet du crâne, l'air un peu perdu.

— Que se passe-t-il, Opal ?

— Je n'en sais rien.

À cet instant, un grand coup de tonnerre a retenti, si énorme que toute la caravane a été ébranlée. Winn-Dixie a jailli de ma chambre comme un diable, et j'ai crié :

— Attention, papa !

Mais le pasteur, encore mal réveillé, n'a pas bougé. Winn-Dixie l'a percuté de plein fouet, comme s'il était une boule de bowling et le pasteur, la dernière quille à dégommer et, bada-boum ! tous deux sont tombés par terre.

— Oh, oh ! ai-je grimacé.

— Opal ?

Le pasteur était couché sur le ventre, Winn-Dixie soufflant et gémissant perché sur lui.

— Oui ?

— Opal, a répété le pasteur.

— Oui ? ai-je redit, plus fort.

— Sais-tu ce qu'est une phobie ?

— Non.

Il a levé une main et s'est gratté le nez.

— Eh bien, a-t-il repris au bout d'une minute, c'est une peur beaucoup plus forte que les peurs habituelles. C'est une peur irrationnelle et incon-trôlable.

Au même moment, un nouveau coup de ton-nerre a éclaté. Winn-Dixie a sauté en l'air comme si quelqu'un venait de lui enfoncer un tison dans les côtes. Quant il est retombé, il s'est remis à courir partout. Lorsqu'il a filé en trombe dans ma chambre, je n'ai même pas essayé de le retenir. Je me suis juste écartée.

Le pasteur était toujours allongé par terre et se frottait le nez. Il a quand même fini par s'asseoir.

— Opal, m'a-t-il annoncé, je crois que Winn-Dixie a la phobie des orages.

Il avait à peine terminé sa phrase que Winn-Dixie est revenu au triple galop, à croire que sa survie en dépendait. J'ai réussi à relever le pasteur et à le pousser de côté juste à temps.

Comme, apparemment, nous ne pouvions rien faire pour rassurer Winn-Dixie, nous nous sommes assis sur le divan et l'avons regardé foncer d'une chambre à l'autre, terrorisé et hors d'haleine. Chaque fois que le tonnerre grondait, Winn-Dixie agissait comme si c'était la fin du monde.

— L'orage ne va pas durer, m'a dit le pasteur. Winn-Dixie va se calmer.

En effet, la tempête s'est peu à peu apaisée. La pluie a cessé, les éclairs aussi, et les derniers grondements de tonnerre se sont éloignés. Winn-Dixie a brusquement arrêté de courir et s'est approché de nous, tête penchée, l'air de dire :

— Mais que fichez-vous ici au beau milieu de la nuit, vous deux ?

Il nous a rejoints sur le canapé, avec sa drôle de façon de faire, quand il rampe centimètre par centimètre en regardant ailleurs comme si tout ça ne dépendait pas de lui mais était un accident, et puis, soudain, ça y est, il est installé dessus de tout son long.

Et donc, tous les trois, on est restés assis sur le divan. Je caressais la tête de Winn-Dixie et lui gratouillais les oreilles – pour son plus grand plaisir.

— Les orages sont affreusement courants, en Floride, l'été, a lâché le pasteur.

— Je sais.

J'ai eu peur qu'il ne décide que nous ne pouvions garder un chien qui devenait dingue de terreur chaque fois qu'il entendait le tonnerre.

— Nous allons devoir le garder à l'œil, a-t-il poursuivi en enlaçant Winn-Dixie. Veiller à ce qu'il ne sorte pas lorsqu'il y a une tempête. Il risque de s'enfuir. Nous devons le protéger.

— Oui, ai-je acquiescé d'une voix étranglée.

Tout à coup, je n'arrivais plus à parler. J'aimais tant le pasteur. Je l'aimais parce qu'il aimait Winn-Dixie. Parce qu'il lui pardonnait ses peurs. Mais surtout, parce qu'il l'avait serré contre lui, comme s'il essayait déjà de le protéger.

12

Moi et Winn-Dixie, on s'est levés tellement tôt, pour mon premier jour de travail aux Animaux-de-Gertrude que, à notre arrivée, le panneau « FERMÉ » était encore accroché à la porte. Mais quand j'ai poussé celle-ci, elle s'est ouverte, alors on est entrés. J'allais crier à Otis que nous étions là, lorsque j'ai entendu de la musique. La plus jolie musique que j'avais jamais entendue. J'ai regardé autour de moi pour voir d'où elle venait, et c'est là que j'ai remarqué que tous les animaux étaient sortis de leurs cages. Les lapins et les hamsters, les cochons d'Inde et les souris, les oiseaux et les serpents – tous se tenaient sagement par terre, aussi immobiles que s'ils avaient été transformés en statues de pierre. Debout au milieu d'eux, Otis. Il jouait de la guitare et, en même temps, battait la mesure en tapant du pied, dans ses bottes de cow-boy à bouts pointus. Les yeux fermés, il souriait.

Winn-Dixie a pris un air rêveur. Il a adressé un sourire vraiment immense à Otis, a éternué, décoiffant au passage ses moustaches et, en soupirant, s'est laissé tombé sur le sol au milieu des autres animaux. À cet instant, Gertrude l'a aperçu :

— Chien, a-t-elle croassé.

Elle s'est envolée puis est venue se poser sur sa tête.

Otis a ouvert les yeux et m'a regardée. Il a cessé de jouer, et le charme a été rompu. Les lapins se sont mis à sautiller, les oiseaux à voler, les lézards à se carapater, les serpents à ramper et Winn-Dixie à aboyer et à chasser tout ce qui bougeait, si bien qu'Otis a crié :

— Vite, aide-moi !

Pendant un temps qui m'a semblé interminable, Otis et moi avons essayé d'attraper les souris et les cochons d'Inde, les hamsters, les serpents et les lézards. Nous n'arrêtions pas de nous rentrer dedans et de trébucher sur les animaux, tandis que Gertrude braillait :

— Chien ! Chien !

Chaque fois que je réussissais à mettre la main sur une bestiole, je la fourrais dans la première cage que je voyais. Que ce soit la bonne ou non, j'y enfournais l'animal et je claquais la porte. Pendant toute cette chasse, je me suis dit qu'Otis était sûrement une espèce de charmeur de serpents, avec sa façon de jouer de la guitare et de transformer les animaux en statues de pierre. Mais j'ai fini par trouver tout ça ridicule. Par-dessus les aboiements de Winn-Dixie et les piaillements de Gertrude, j'ai crié :

— Jouez Otis ! Jouez encore !

Il m'a contemplé pendant une bonne minute. Puis il s'est remis à gratter sa guitare et, en quelques secondes, le calme est revenu. Winn-Dixie s'est allongé par terre en clignant des yeux. Il se souriait à lui-même, éternuant de temps à autre. Les cochons d'Inde, les lapins, les lézards et les serpents que nous n'avions pas encore ramassés se sont figés, et j'ai pu les récolter un par un et les remettre dans leurs cages respectives.

Une fois que ça a été terminé, Otis a arrêté de jouer. Il a regardé ses bottes.

— C'était juste un peu de musique, a-t-il murmuré. Ça les rend heureux.

— D'accord, ai-je répondu. Comment se sont-ils échappés de leurs cages ?

— C'est moi qui les en ai sortis. Ça me désole de les voir enfermés toute la journée. Je sais ce que c'est, que d'être enfermé.

— Ah bon ?

— J'ai fait de la prison, m'a avoué Otis.

Il a brièvement levé les yeux vers moi, puis s'est de nouveau perdu dans la contemplation de ses pieds.

— Et alors ? ai-je voulu savoir.

— Alors rien, m'a-t-il répondu. Tu n'es pas censée balayer ?

— Si.

Il est allé derrière son comptoir, a fouillé dans une pile d'objets et a fini par en tirer un balai.

— Tiens, m'a-t-il dit. Au boulot !

Sauf qu'il devait être un peu désorienté, car ce n'est pas le balai qu'il me tendait, mais son instrument.

— Vous voulez que je balaie avec votre guitare ? lui ai-je demandé.

Il a rougi et m'a donné le balai. Je me suis mise au travail. Je balaye drôlement bien. J'ai nettoyé toute la boutique, puis j'ai épousseté quelques étagères. Tout ce temps-là, Winn-Dixie était collé à mes talons, suivi de près par Gertrude qui se posait parfois sur sa tête ou son dos, marmottant dans sa barbe :

— Chien, chien.

Lorsque tout a été propre, Otis m'a remerciée. J'ai quitté Les Animaux de Gertrude en me disant que le pasteur risquait de ne guère apprécier que je travaille pour un criminel.

Sweetie Pie Thomas m'attendait à la porte du magasin.

— J'ai tout vu ! m'a-t-elle lancé.

Plantée devant moi, elle suçait son doigt en me regardant d'un air accusateur.

— T'as vu quoi ? ai-je rétorqué.

— J'ai vu les animaux hors de leurs cages et drôlement sages. Il est magicien, le bonhomme ?

— Un peu.

— Comme ce chien d'épicerie, alors ? a-t-elle demandé en serrant Winn-Dixie par le cou.

— C'est ça.

J'ai commencé à m'éloigner. Sweetie Pie a

retiré son doigt de sa bouche et a mis sa main dans la mienne.

— Tu viendras à ma fête d'anniversaire ?

— Promis.

— On sera en rose.

— Je sais.

— Faut que j'y aille, a-t-elle soudain annoncé. Faut que j'aille chez moi pour raconter à ma maman ce que j'ai vu. J'habite juste à côté. Dans la maison jaune. C'est ma maman, là sous le porche. Tu la vois ? Elle te fait coucou.

J'ai agité le bras en direction de la femme, qui m'a répondu. J'ai regardé Sweetie Pie courir vers sa maman pour lui annoncer qu'Otis était magicien. Du coup, j'ai pensé à ma mère à moi. J'aurais tant voulu lui raconter l'histoire d'Otis le charmeur d'animaux. Je collectionnais les histoires pour elle. Je lui parlerais de Mlle Franny et de l'ours, de ma rencontre avec Gloria Dechett que j'avais prise, un bref instant, pour une sorcière. J'avais le sentiment que c'était là le genre d'histoires que maman aimerait, qui la ferait rire, aux éclats, comme le pasteur m'avait confié qu'elle aimait à rire.

13

Moi et Winn-Dixie, on est vite tombés dans une routine quotidienne. Tôt le matin, on quittait le mobile home pour nous rendre chez Gertrude écouter Otis jouer de la guitare aux animaux. Parfois, Sweetie Pie nous rejoignait en douce pour profiter du spectacle. Elle s'asseyait par terre, prenait Winn-Dixie dans ses bras et le berçait d'avant en arrière comme s'il avait été un gros vieil ours en peluche. Quand le concert s'achevait, elle tournait en rond dans la boutique en essayant de choisir l'animal qu'elle aurait aimé avoir. Mais elle abandonnait toujours avant d'avoir trouvé son bonheur, parce que le seul compagnon dont elle avait envie, c'était un chien comme Winn-Dixie. Sweetie Pie partie, je balayais et nettoyais, arrangeant même les étagères à la place d'Otis, parce qu'il n'avait pas le don pour ça, et moi si. Cela fait, Otis inscrivait mes heures de travail dans un carnet sur lequel il avait écrit : *Un collier en cuir rouge, une laisse en cuir rouge*. Et jamais, vraiment jamais, il ne se comportait comme un criminel.

Après Gertrude, Winn-Dixie et moi allions à la bibliothèque Herman W. Block, afin d'y discuter avec Mlle Franny et l'écouter nous raconter une histoire. Mais mon endroit préféré, cet été-là, c'était le jardin de Gloria Dechett. J'imagine que c'était aussi celui de Winn-Dixie car, chaque fois, au dernier carrefour avant sa maison, il nous abandonnait, mon vélo et moi, et filait à fond de train jusqu'à la jungle de Gloria Dechett et sa cuiller de beurre de cacahuète.

Parfois, Dunlap et Stevie Dewberry me suivaient en hurlant :

— La fille du pasteur va rendre visite à la sorcière !

— Ce n'est pas une sorcière, je leur répondais. Ça me rendait folle de rage, qu'ils ne m'écoutent pas et continuent de croire ce qu'ils avaient envie de croire sur Gloria Dechett. Un jour, Stevie m'a lancé :

— Ma mère, elle dit que tu ne devrais pas passer tout ton temps enfermée dans cette animalerie et cette bibliothèque à parler à de vieilles dames. Elle dit que tu devrais sortir au grand air et jouer avec des enfants de ton âge. Voilà ce qu'elle dit, ma mère.

— Fiche-lui la paix ! a crié Dunlap. Excuse-le, a-t-il ajouté à mon intention.

Trop tard ! J'étais furieuse.

— Je me moque de ce que dit ta mère, ai-je braillé. Ce n'est pas la *mienne*, alors ce que je fais ne la regarde pas.

— Je dirai à ma mère ce que tu viens de dire ! a hurlé Stevie. Et elle le dira à ton père, et il te fera honte devant toute le monde, à l'église. Et ce type, à l'animalerie, c'est un attardé, et il a été en prison, et je me demande si ton père est au courant.

— Otis n'est pas un attardé ! ai-je riposté. Et mon père sait qu'il a été en prison.

C'était un gros mensonge, mais tant pis !

— Et tu peux rapporter, je m'en fiche, espèce de gros bébé chauve ! ai-je poursuivi.

Je vous promets que ça m'épuisait de me dis-puter tous les jours avec Dunlap et Stevie Dew-berry. Quand j'arrivais dans le jardin de Gloria Dechett, j'avais l'impression d'être un soldat revenant du champ de bataille. Gloria me prépa-rait aussitôt un sandwich au beurre de cacahuète puis me versait une tasse de café au lait (moitié café, moitié lait) pour me requinquer.

— Pourquoi ne joues-tu pas avec ces gar-çons ? me demandait-elle.

— Parce que ce sont des imbéciles. J'ai beau leur dire que ce n'est pas vrai, ils vous prennent encore pour une sorcière.

— Je crois qu'ils essaient seulement de deve-nir tes amis. D'une manière un peu détournée.

— Je ne veux pas être leur amie.

— Ça pourrait être drôle d'avoir ces deux gar-çons comme amis.

— Je préfère discuter avec vous. Ils sont bêtes et méchants. En plus, ce sont des garçons.

Gloria secouait la tête en soupirant, puis elle m'interrogeait sur la marche du monde et voulait savoir si j'avais de nouvelles histoires à lui racon-ter. J'en avais toujours.

14

Parfois, je répétais à Gloria l'histoire que venait de me raconter Mlle Franny Block. Ou j'imitais Otis battant la mesure avec ses bottes pointues et jouant pour les animaux, ce qui déclenchait systématiquement ses rires. Parfois aussi, j'inventais une histoire, et Gloria Dechett m'écoutait sans broncher du début à la fin. Elle m'avait avoué qu'elle avait toujours adoré lire, mais qu'elle avait été obligée de renoncer à cause de ses yeux.

— Et si vous vous achetiez des lunettes très, très fortes ?

— Ils ne fabriquent pas des verres assez puis-
sants pour des yeux pareils, ma douce.

Un jour, après l'histoire, je me suis enfin résolue à confier à Gloria qu'Otis était un criminel.
Je me disais qu'il valait sans doute mieux mettre
un adulte au courant, et Gloria était le meilleur
adulte que je connaisse.

— Gloria ?

— Mmm-mmm ?

— Vous connaissez Otis ?

— Non. Je sais juste ce que tu m'en as dit.

— Eh bien, c'est un criminel. Il a été en prison. Est-ce qu'il faudrait que j'aie peur de lui ?

— En quel honneur ?

— J'en sais rien. Parce qu'il a commis des
bêtises, j'imagine. Parce qu'il a été en prison.

— Laisse-moi te montrer quelque chose, ma
douce.

Très lentement, elle s'est levée de sa chaise et
m'a pris le bras.

— Accompagne-moi jusqu'au fond du jardin,
m'a-t-elle ordonné.

— D'accord.

Nous sommes parties, Winn-Dixie sur nos
talons. C'était un jardin immense, et je n'étais

jamais allée jusqu'au bout. Arrivées à un grand et vieil arbre, nous nous sommes arrêtées.

— Regarde cet arbre, m'a dit Gloria.

J'ai levé les yeux. Des bouteilles étaient suspendues à chacune des branches. Des bouteilles de whisky, de vin, attachées par une ficelle. Certaines s'entrechoquaient avec une espèce de petit tintement un peu alarmant. Moi et Winn-Dixie, on est restés longtemps à contempler cet arbre. Le poil sur la tête de Winn-Dixie s'est hérissé un peu, et il a grondé.

Gloria a brandi sa canne en direction des branches.

— Qu'en penses-tu ? m'a-t-elle lancé.

— Je ne sais pas. Toutes ces bouteilles... Pourquoi ?

— Pour éloigner les fantômes.

— Quels fantômes ?

— Les fantômes de mes bêtises.

— Vous en avez fait tant que ça ? ai-je demandé, les yeux fixés sur les branches surchargées.

— Mmm. Et bien d'autres, encore.

— Mais vous êtes la plus chic personne du monde.

— Ça ne signifie pas pour autant que je ne me suis pas mal comportée.

— Je vois des bouteilles de whisky, là-haut. Et de bière.

— Je suis au courant, ma douce. C'est moi qui les ai accrochées. C'est moi qui les ai bues.

— Maman buvait, ai-je chuchoté.

— Je sais.

— Le pasteur dit que, des fois, c'était incontrôlable, chez elle, cette envie de boire.

— Mmm. Certains réagissent en effet ainsi. Une fois qu'ils ont commencé, ils ne peuvent plus s'arrêter.

— Et vous étiez de ceux-là ?

— Oui. Et j'en suis encore. Mais je ne bois rien de plus fort que du café, à présent.

— Est-ce que c'est le whisky, la bière et le vin qui vous ont poussée à commettre les bêtises qui se sont transformées en fantômes ?

— Pour quelques-unes, oui. Il y en a d'autres que j'aurais quand même faites. Alcool ou non. Quand je n'avais pas encore appris.

— Appris quoi ?

— Appris le plus important.

— Et qu'est-ce que c'est, le plus important ?

— C'est différent pour chacun d'entre nous. Tu trouveras toute seule ce qui compte le plus pour toi. Entre-temps, rappelle-toi de ne pas juger les gens uniquement sur leur passé. Il faut les apprécier en fonction de leurs actes présents. Otis, par exemple. Pense à lui comme quelqu'un qui joue de la belle musique, qui est gentil envers les animaux. Parce que, tout de suite, maintenant, c'est la seule chose que tu saches vraiment de lui. Entendu ?

— Oui.

— Quant aux Dewberry, essaie de ne pas les juger trop durement non plus. D'accord ?

— D'accord.

— Bien.

Là-dessus, Gloria Dechett a tourné les talons puis est repartie vers sa chaise. Winn-Dixie m'a fourré sa truffe humide dans la main et a remué la queue. Quand il a vu que je ne bougeais pas, il a filé rejoindre Gloria. Moi, je suis restée sur place, à contempler l'arbre. Je me demandais si maman, où qu'elle soit, avait elle aussi un arbre plein de bouteilles. Et je me demandais si, pour elle, j'étais un fantôme. Comme, parfois, elle semblait en être un pour moi.

15

À la bibliothèque Herman W. Block, l'air condi-
tionné ne fonctionnait pas très bien, et il n'y avait
qu'un ventilateur. Dès notre arrivée, Winn-Dixie
se l'appropriait. Il se couchait en plein devant en
agitant la queue, profitant de l'air frais qui cares-
sait son pelage. Des fois, des touffes de poils
s'envolaient comme des pissenlits. Je n'aimais
pas qu'il monopolise ainsi le ventilateur et j'avais
peur qu'il devienne chauve. Mais Mlle Franny
me répondait d'oublier ça, que Winn-Dixie pouvait accaparer le ventilateur autant qu'il le voulait, et qu'elle n'avait jamais entendu parler d'un

chien qui soit devenu chauve à cause d'un courant d'air.

Il arrivait que Mlle Franny ait une crise au beau
milieu d'une histoire. Pas de grosses crises, pas
très longues non plus. L'embêtant, c'est qu'elle
oubliait ce qu'elle était en train de dire. Elle
s'interrompait et se mettait à trembler comme
une feuille. Alors, Winn-Dixie quittait le ventilateur et venait s'installer juste à côté d'elle. Assis
bien droit, protecteur, les oreilles dressées comme
des soldats au garde-à-vous. Quand Mlle Franny
arrêtait de trembler et recommençait à parler,
Winn-Dixie lui léchait la main et retournait se
vautrer à sa place.

Chaque crise de Mlle Franny me faisait penser
à Winn-Dixie pendant les orages. Il y en a eu
beaucoup, cet été-là. Et je suis devenue drôlement forte pour le protéger. Je m'agrippais à lui,
le réconfortais, le berçais, lui chuchotais des
petits riens, exactement comme il essayait de rassurer Mlle Franny lorsqu'elle avait une de ses
attaques. Sauf que moi, je m'accrochais à Winn-
Dixie pour une autre raison aussi. Je m'accrochais à lui pour qu'il ne se sauve pas.

Ce qui m'amenait à penser à Gloria Dechett.
Qui la réconfortait, elle, quand elle entendait les

bouteilles s'entrechoquer et ses fantômes papoter entre eux de ses mauvaises actions ? J'avais envie de réconforter Gloria Dechett. Puis, un jour, j'ai décidé que la meilleur manière de faire, c'était de lui lire un livre à voix haute. À voix suffisamment haute pour éloigner ses fantômes.

Alors, j'en ai parlé à Mlle Franny Block :

— Mlle Franny, j'ai une amie adulte dont les yeux ne fonctionnent plus, et je voudrais lui lire un livre. Vous auriez une idée ?

— Une idée ? Oui, ma petite, j'en ai plein, même. Que penses-tu d'*Autant en emporte le vent* ?

— De quoi ça parle ?

— Eh bien, c'est une merveilleuse histoire sur la guerre de Sécession.[1]

— La guerre de Sécession ?

— Ne me dis pas que tu n'a jamais entendu parler de la guerre de Sécession !

Mlle Franny semblait à deux doigts de s'évanouir. Elle s'éventait avec les mains.

— Bien sûr, que j'en ai entendu parler. C'est le Sud et le Nord qui se sont battus à cause de l'esclavage.

---

1. Guerre de Sécession : conflit militaire entre les états du Nord et du Sud des États-Unis de 1861 à 1865. La guerre s'est terminée par la victoire des états du Nord. (*N.d.T.*)

— Certes. Mais aussi à cause de la politique et de l'argent. Ça a été une guerre atroce. Mon arrière-grand-père y a combattu. Il était encore tout gamin.

— Votre arrière-grand-père ?

— Oui, ma petite. Littmus W. Block. Une bien belle histoire, d'ailleurs.

Winn-Dixie a bâillé à s'en décrocher la mâchoire et s'est allongé de tout son long sur le côté en poussant un énorme soupir. Je parie qu'il reconnaissait la phrase « Une bien belle histoire, d'ailleurs ». Il savait alors qu'on n'était pas prêts de partir.

— Allez-y, Mlle Franny, racontez !

Je me suis assise en tailleur à côté de Winn-Dixie. Je l'ai poussé pour tenter de profiter un peu du ventilateur, mais il a fait mine de dormir et n'a pas bougé d'un pouce.

J'étais prête à me régaler d'une nouvelle histoire quand la porte s'est ouverte avec fracas et que cette tête d'enterrement d'Amanda Wilkinson est entrée. Winn-Dixie s'est assis et l'a fixée des yeux. Il lui a lancé un sourire timide, mais elle ne le lui a pas retourné, alors il s'est recouché.

— J'en veux un autre, a-t-elle dit en claquant

violemment son livre sur le bureau de Mlle Franny. J'ai fini celui-ci.

— Eh bien, a répondu la bibliothécaire, tu accepteras peut-être d'attendre un peu. Je suis en train de raconter une histoire sur mon arrière-grand-père à India Opal. Il va de soit que tu peux l'écouter si tu veux. J'en ai pour une minute.

Amanda a soupiré de manière vraiment exagérée et m'a regardée sans me voir. Elle a prétendu ne pas être intéressée, mais j'ai bien vu que ce n'était pas vrai.

— Viens t'asseoir ici, lui a proposé Mlle Franny.

— Je préfère rester debout, merci.

— À ta guise. Et maintenant, où en étais-je ? Ah oui, Littmus. Littmus W. Block.

16

— Littmus W. Block, s'est lancée Mlle Franny Block, n'était encore qu'un jeune garçon quand a eu lieu l'attaque de Fort Sumter, en Caroline du Sud, par les Sudistes.

— Fort Sumter ? ai-je répété.

— C'est la bataille de Fort Sumter qui a déclenché la guerre, a dit Amanda.

— Ah bon.

Et j'ai haussé les épaules.

— Bref, Littmus avait quatorze ans. Il était grand et costaud, mais ce n'était qu'un gamin. Son père, Artley W. Block avait déjà été appelé sous les drapeaux, et Littmus a annoncé à sa mère qu'il n'allait pas rester là sans rien faire à attendre que le Sud soit vaincu, alors il est parti de battre.

Mlle Franny a contemplé un instant la bibliothèque, puis a murmuré :

— Les hommes, les garçons, ne pensent qu'à se battre. Ils cherchent toujours des raisons de faire la guerre. C'est d'une infinie tristesse. Ils ne retiennent jamais les leçons de l'Histoire. Enfin, Littmus, donc, s'est engagé. Il a menti sur son âge. L'armée l'a accepté, et il est parti au combat. Tel quel. En laissant derrière lui sa mère et ses trois sœurs. Il rêvait de rentrer en héros, mais il a vite découvert la vérité.

Mlle Franny a fermé les yeux et secoué doucement la tête.

— Quelle vérité ? ai-je demandé.

— Que la guerre est un enfer, a répondu Mlle Franny, sans rouvrir les yeux. Une fichue abomination.

— Fichue, c'est un gros mot, a lancé Amanda.

Je l'ai observée en douce. Son visage était encore plus pincé que d'habitude.

— Guerre devrait en être un aussi, a rétorqué Mlle Franny.

Elle a remué la tête, a rouvert les yeux. Le doigt tendu vers moi, puis Amanda, elle a continué :

— Aucune de vous deux, aucune, ne peut imaginer ce que c'est.

— Non madame ! nous sommes-nous écriées en chœur, Amanda et moi.

On s'est furtivement regardées, avant de retourner à Mlle Franny.

— En effet, vous ne pouvez pas. Littmus avait faim tout le temps. Il était infesté de vermine : des puces et des poux. Et l'hiver, il avait si froid qu'il a cru plus d'une fois qu'il allait mourir congelé. Quant à l'été, il n'y a rien de pire que la guerre en été. Ça sent tellement mauvais. La seule chose qui permettait à Littmus d'oublier la faim, les démangeaisons, la chaleur ou le froid, c'était qu'on lui tirait dessus. Plutôt beaucoup, même. Alors qu'il n'était qu'un enfant.

— Il a été tué ? ai-je demandé à Mlle Franny.

— Mon Dieu quelle horreur ! a piaillé Amanda en levant les yeux au ciel.

— Voyons, Opal, m'a reprise Mlle Franny, je ne serais pas là à te raconter cette histoire si ça avait été le cas. Je n'existerais pas. Non, ma petite. Il était destiné à vivre. Mais il est devenu un autre homme. C'est comme je te le dis. Un autre homme. À la fin de la guerre, il est rentré chez lui. Il a marché de la Virginie à la Géorgie. Il n'avait pas de cheval. Personne n'en avait, sauf les Yankees. Alors, il a marché. Et, une fois arrivé chez lui, il a découvert qu'il n'avait plus de maison.

— Où était-elle passée ? me suis-je exclamée.

Je me fichais qu'Amanda me prenne pour une idiote. J'avais trop envie d'entendre la suite.

— Figurez-vous, a hurlé Mlle Franny, si fort que Winn-Dixie, Amanda Wilkinson et moi avons sursauté, figurez-vous que les Yankees l'avaient brûlée ! Parfaitement ! Réduite en un tas de cendres !

— Et ses sœurs ? a demandé Amanda.

Contournant le bureau, elle est venue s'asseoir par terre près de moi.

— Que leur est-il arrivé ? a-t-elle insisté en regardant Mlle Franny.

— Mortes. Tuées par la typhoïde.

— Oh non ! a chuchoté Amanda.

— Et sa mère ? ai-je murmuré.

— Morte aussi.

— Et son père ? a voulu savoir Amanda. Qu'est-il devenu ?

— Tué sur le champ de bataille.

— Alors, Littmus était orphelin ? ai-je souligné.

— Exactement ! Littmus était orphelin.

— C'est une histoire triste, ai-je dit à Mlle Franny.

— Ça, pour sûr ! a renchéri Amanda.

Ça m'a sciée que, pour une fois, on soit d'accord, elle et moi.

— Attendez, je n'ai pas terminé, nous a signalé Mlle Franny.

Winn-Dixie s'est mis à ronfler, et je l'ai secoué avec mon pied pour qu'il arrête. Le reste de l'histoire m'intéressait. Il était important que je sache comment Littmus avait survécu après avoir perdu tout ce qu'il aimait.

17

— Bref, Littmus est rentré de la guerre et s'est retrouvé tout seul, a repris Mlle Franny. Il s'est assis sur ce qu'il restait du perron de sa maison et a pleuré, pleuré. Il a pleuré comme un bébé. Sa mère lui manquait, son père lui manquait, ses sœurs lui manquaient, et le petit garçon qu'il avait été lui manquait. Quand il s'est enfin arrêté de pleurer, il a éprouvé la plus étrange des sensations : il a eu envie d'une sucrerie. D'un bonbon. Il n'en avait pas mangé depuis des années. Alors, il a pris une grande décision. Comme ça, vlan ! Littmus W. Block a compris que le monde était un bien triste sire, qu'il avait assez contemplé ses laideurs et qu'il allait désormais s'efforcer de le doter d'un peu de douceur. Il s'est levé puis est reparti. À pied. Jusqu'en Floride. Et, tout le temps du voyage, il a échafaudé des plans.

— Quels plans ? ai-je demandé.

— Ceux de sa fabrique de bonbons, bien sûr !

— Il en a construit une ?

— Naturellement. Elle existe toujours, d'ailleurs, sur Fairville Road.

— Cette bâtisse délabrée ? s'est écriée Amanda. Ce vieux machin qui vous donne des frissons ?

— Elle ne donne des frissons à personne, a riposté Mlle Franny. Elle a été le berceau de notre fortune familiale. C'est là que mon arrière-grand-père a fabriqué les Losanges Littmus, une friandise célèbre de par le monde entier.

— Jamais entendu parler, a dit Amanda.

— Moi non plus, ai-je renchéri.

— C'est qu'on ne les produit plus, a expliqué Mlle Franny. Le monde, semble-t-il, a perdu son appétit pour les Losanges Littmus. Mais il m'en reste quelques-uns.

Elle a ouvert le premier tiroir de son bureau. Il était rempli de bonbons. Puis elle a ouvert le tiroir d'en-dessous, et il était plein de bonbons aussi. Tout le bureau de Mlle Franny Block regorgeait de friandises.

— Voulez-vous en goûter un ? nous a-t-elle proposé, à Amanda et moi.

— Oui, s'il vous plaît, a répondu Amanda.

— Bien sûr ! me suis-je exclamée. Est-ce que Winn-Dixie peut en avoir un aussi ?

— Ce serait bien la première fois que je verrais un chien manger quelque chose d'aussi dur, mais s'il en a envie, pourquoi pas ?

Elle a donné un Losange Littmus à Amanda et deux à moi. J'ai ôté l'emballage du premier et l'ai tendu à Winn-Dixie. Il s'est assis, a flairé le bonbon et a agité la queue. Puis il l'a pris avec beaucoup de soin. Il a essayé de le croquer, en vain, alors il l'a avalé tout rond. Il a de nouveau remué la queue et s'est recouché.

J'ai mangé mon Losange Littmus lentement. C'était bon. On aurait dit un mélange de gingembre et de fraise, avec un petit quelque chose d'indéfinissable, quelque chose qui m'a rendue triste. J'ai regardé Amanda. Elle suçait le sien avec beaucoup de concentration.

— Tu aimes ? m'a demandé Mlle Franny.

— Oui.

— Et toi, Amanda ?

— Oui, mais il m'évoque des souvenirs tristes.

Je me suis demandée quels souvenirs tristes cette fichue Amanda pouvait bien avoir. Elle ne venait pas d'arriver en ville, elle. Elle avait une mère et un père, elle. Je les avais vus, à l'église.

— C'est qu'il y a un ingrédient secret, a annoncé Mlle Franny.

— Oui ! me suis-je écriée. Je le sens sur le bout de ma langue. Qu'est-ce que c'est ?

— Le chagrin. Tout le monde n'est pas capable de le déceler. En général, ce sont les enfants qui paraissent le mieux deviner sa présence.

— Je l'ai senti, ai-je répété.

— Moi aussi, a lancé Amanda.

— Eh bien, a conclu Mlle Franny, c'est sans doute que toutes deux avez eu votre lot de chagrin.

— J'ai été obligée de quitter Watley et d'y laisser tous mes amis, ai-je dit. Ça fait un chagrin. Dunlap et Stevie Dewberry n'arrêtent pas de me chercher, et de deux ! Mais le plus gros de tous, c'est que maman m'a abandonnée quand j'étais toute petite. Je me la rappelle à peine. Je n'arrête pas d'espérer que je la rencontrerai un jour pour lui raconter des histoires.

— Le bonbon me rappelle Carson, a enchaîné Amanda. Il me manque. Il faut que j'y aille.

J'ai cru qu'elle allait se mettre à pleurer. Elle s'est levée et elle est sortie en courant presque.

— Qui est Carson ? ai-je demandé à Mlle Franny.

Celle-ci a secoué la tête et a murmuré :

— Le chagrin, ce monde n'est qu'un immense chagrin.

— Mais comment peut-on le mettre dans un bonbon ? Comment parvient-on à lui donner du goût ?

— C'est ça, le secret. C'est comme ça que Littmus est devenu riche. Il a réussi à créer un bonbon qui était à la fois sucré et triste.

— Puis-je en avoir un pour le faire goûter à mon amie Gloria Dechett ? Et un autre pour Otis, des Animaux-de-Gertrude ? Et un pour le pasteur ? Et un pour Sweetie Pie ?

— Prends-en autant que tu veux.

Du coup, j'ai bourré mes poches de Losanges Littmus. J'ai remercié Mlle Franny pour son histoire, lui ai emprunté *Autant en emporte le vent* (qui était un sacré gros livre), ai dit à Winn-Dixie de se lever et suis partie chez Gloria Dechett. Je suis passée en vélo devant la maison des Dewberry. Dunlap et Stevie jouaient au foot dans le jardin de devant. J'allais leur tirer la langue, puis je me suis souvenue de Mlle Franny qui avait dit que la guerre était un enfer et de Gloria Dechett qui m'avait conseillée de ne pas les juger trop rapidement. Alors, à la place, j'ai agité la main. Ils m'ont dévisagée, interloqués. J'étais presque au coin de la rue quand Dunlap a agité à son tour.

— Salut, Opal ! a-t-il braillé. Salut !

J'ai lui ai fait de grands, grands gestes, puis j'ai pensé à Amanda Wilkinson. Je trouvais ça chouette qu'elle aime les bonnes histoires autant que moi. Mais je me demandais quand même qui était Carson.

18

Chez Gloria Dechett, je lui ai annoncé que j'avais deux surprises pour elle et je lui ai demandé laquelle elle voulait d'abord, la petite ou la grande.

— La petite.

Je lui ai tendu le Losange Littmus. Elle l'a longuement inspecté du bout des doigts.

— Un bonbon ?

— Oui. Un Losange Littmus.

— Mon Dieu ! Je me rappelle, maintenant. Mon père en mangeait.

Elle a ôté le papier, a mis le bonbon dans sa bouche et a hoché la tête.

— Vous aimez ?

— Mmm-mmm, m'a-t-elle répondu en continuant à opiner du bonnet. C'est sucré, a-t-elle ajouté. Mais ça a aussi le goût du départ.

— Vous voulez dire de la tristesse ? Est-ce que ça a le goût du chagrin, pour vous ?

— Exactement. Et la deuxième surprise ?

— Un livre.

— Tiens donc !

— Oui. Je vais vous le lire à voix haute. Il s'appelle *Autant en emporte le vent*. Mlle Franny dit que c'est super. Ça parle de la guerre de Sécession. Vous connaissez ?

— J'en ai bien l'impression.

— On en a pour un bon bout de temps. Il y a mille trente-sept pages.

— Houlà !

Gloria s'est allongée confortablement dans sa chaise, a croisé les mains sur son ventre et a ajouté :

— Alors, on ferait mieux de commencer tout de suite.

C'est comme ça que je lui ai lu le premier chapitre d'*Autant en emporte le vent*. À voix haute. Suffisamment fort pour tenir les fantômes à distance. Gloria était une auditrice attentive. Quand j'ai eu fini, elle a déclaré que c'était la plus belle surprise de sa vie, et qu'elle était impatiente d'écouter le deuxième chapitre.

Ce soir-là, j'ai donné au pasteur son Losange Littmus au moment où il me souhaitait bonne nuit.

— Qu'est-ce que c'est ?

— Un bonbon que l'arrière-grand-père de Mlle Franny a inventé. Ça s'appelle un Losange Littmus.

Le pasteur l'a mis dans sa bouche, puis il s'est gratté le nez en hochant la tête.

— Tu aimes ?

— Il y a une saveur particulière...

— Le gingembre ?

— Autre chose.

— La fraise ?

— Oui, mais autre chose encore. C'est étrange.

J'ai vu que le pasteur s'éloignait de plus en plus. Ses épaules s'affaissaient, son menton s'enfonçait dans son cou, il était tout prêt de rentrer sa tête dans sa carapace.

— On dirait le goût de la mélancolie, a-t-il murmuré.

— Qu'est-ce que c'est, la mélancolie ?

109

— La tristesse. Ce bonbon me fait penser à ta mère, a-t-il ajouté en se frottant le nez.

Winn-Dixie a reniflé l'emballage du Losange Littmus que le pasteur tenait à la main.

— Ce bonbon a le goût du chagrin, a soupiré le pasteur. Sans doute une erreur de fabrication.

Je me suis assise dans mon lit.

— Non, c'est le goût qu'il est censé avoir, lui ai-je expliqué. Quand Littmus est rentré de la guerre, toute sa famille était morte. Son père avait été tué au combat, sa mère et ses sœurs avaient attrapé une maladie, et les Yankees avaient brûlé sa maison. Littmus était très triste, vraiment très triste, et il a eu envie de quelque chose de sucré et de doux. Alors, il a construit une usine de bonbons et a créé les Losanges Littmus en y incorporant toute la tristesse qu'il ressentait.

— Mon Dieu ! s'est exclamé le pasteur.

Winn-Dixie lui a arraché l'emballage de la main et a commencé à le mâchouiller.

— Donne-moi ça tout de suite ! lui ai-je ordonné.

Sauf qu'il ne voulait pas. J'ai dû plonger les doigts dans sa gueule pour le lui enlever.

— Les papiers de bonbons, ça ne se mange pas, lui ai-je expliqué.

Le pasteur s'est gratté la gorge. J'ai cru qu'il allait m'annoncer quelque chose d'important, peut-être me confier un autre souvenir sur maman. Mais non.

— Opal, a-t-il lancé avec gravité, j'ai discuté avec Mme Dewberry, l'autre jour. Il paraît que tu as traité Stevie de gros bébé chauve.

— C'est vrai. Mais lui passe son temps à traiter Gloria Dechett de sorcière et Otis d'attardé mental. Une fois, il a même dit que sa mère avait dit que je ne devrais pas passer mon temps avec des vieilles dames.

— Tu va devoir t'excuser.

— Qui, moi ? C'est trop fort !

— Oui. Dire à Stevie que tu regrettes de l'avoir blessé. Je suis convaincu qu'il veut juste devenir ton ami.

— Tu parles ! Je ne crois pas du tout qu'il ait envie d'être mon ami.

— Certaines personnes ont une étrange façon de nouer des liens d'amitié. Tu t'excuseras.

— À vos ordres !

À ce moment, je me suis rappelée Carson.

— Papa, ai-je demandé, sais-tu quelque chose à propos d'Amanda Wilkinson ?

— Quelle chose ?

— Quelque chose la concernant et concernant quelqu'un qui s'appelait Carson.

— Carson était son frère. Il s'est noyé, l'an dernier.

— Il est mort ?

— Oui. Les siens ne s'en sont pas remis.

— Quel âge avait-il ?

— Cinq ans. Il n'avait que cinq ans.

— Tu aurais pu m'avertir, tout de même !

— Les malheurs des autres ne sont pas un sujet de conversation. Du moins, ils ne devraient pas l'être. Je n'avais aucune raison de t'en parler.

— C'est que j'avais besoin de savoir. Ça m'aurait aidée à comprendre Amanda. Pas étonnant qu'elle ait toujours cette tête d'enterrement.

— Pardon ?

— Rien !

— Bonne nuit, India Opal.

Le pasteur m'a embrassée, et j'ai senti les arômes de gingembre, de fraise et de tristesse dans son haleine.

Il a caressé la tête de Winn-Dixie, a éteint la lumière puis est sorti en fermant la porte derrière lui.

Je ne me suis pas endormie tout de suite. Je pensais que la vie ressemble à un Losange Littmus, avec la douceur et le chagrin qui se mélangent constamment au point qu'il est sacrément difficile de les distinguer l'un de l'autre. C'était déroutant.

— Papa ! ai-je appelé.

Il a entrouvert et passé la tête dans l'embrasure de la porte.

— Quel est le mot que tu as employé, tout à l'heure ? Le mot qui veut dire triste.

— Mélancolie.

— Mélancolie, ai-je répété.

J'aimais le son de ce mot, comme s'il avait abrité une musique.

— Et maintenant, bonne nuit, a lancé le pasteur.

— Bonne nuit.

Je me suis relevée, ai déballé un Losange Littmus et l'ai sucé avec application en songeant à maman, qui m'avait quittée. C'était de la mélancolie. Puis j'ai pensé à Amanda et Carson. Ça aussi, c'était de la mélancolie. Pauvre Amanda. Pauvre Carson aussi. Il avait eu le même âge que Sweetie Pie. Mais lui ne fêterait jamais son sixième anniversaire.

19

Le lendemain matin, moi et Winn-Dixie, on est allés balayer le magasin. J'ai emporté un Losange Littmus pour Otis.

— C'est Halloween ? a-t-il demandé lorsque je lui ai tendu le bonbon.

— Non, pourquoi ?

— Parce que tu m'offres une sucrerie.

— C'est simplement un cadeau. À manger tout de suite.

— Oh !

Otis a déballé le Losange et l'a mis dans sa bouche. Peu après, des larmes se sont mises à couler sur ses joues.

— Merci, m'a-t-il dit.

— Vous aimez ?

— Il est bon. Mais il a aussi le goût de la prison. Un peu.

— Gertrude, a croassé Gertrude.

Elle a pris l'emballage du Losange Littmus dans sa bouche, puis l'a laissé tomber et a regardé autour d'elle.

— Gertrude ! a-t-elle crié une nouvelle fois.

— Non, lui ai-je dit. Ce n'est pas pour les oiseaux.

Puis, très vite, avant de ne plus en avoir le cran, je me suis adressée à Otis.

— Pourquoi vous a-t-on mis en prison ? Vous avez tué quelqu'un ?

— Non.

— Volé ?

— Non plus.

Tout en suçant son bonbon, il a contemplé le bout pointu de ses bottes de cow-boy.

— Vous n'êtes pas obligé de parler. C'est seulement que je me posais la question.

— Je ne suis pas dangereux, si c'est ce qui t'inquiète. Je suis seul, mais pas dangereux.

— Très bien.

Et je suis allée dans l'arrière-boutique chercher

mon balai. Quand je suis revenue, Otis n'avait pas bougé.

— C'était à cause de la musique, a-t-il fini par lâcher.

— Qu'est-ce qui était à cause de la musique ?

— La prison. C'était à cause de la musique.

— Que s'est-il passé ?

— Je n'arrêtais pas de jouer de la guitare. Y compris dans la rue et, parfois, les gens me donnaient une pièce, même si je ne faisais pas ça pour l'argent. Je le faisais parce que la musique est meilleure quand il y a quelqu'un pour l'écouter. Un jour, la police est venue. Ils m'ont ordonné de filer. Comme quoi, j'enfreignais la loi. Ils parlaient, ils parlaient, et moi je continuais de jouer. Ça les a rendus furieux. Ils ont voulu me passer les menottes. Je n'ai pas apprécié. Avec ces machins, impossible de pincer les cordes.

— Et alors ?

— Alors, a-t-il soupiré, je les ai frappés.

— Non ?

— Si ! L'un d'eux. Je l'ai mis K.-O. C'est pour ça qu'ils m'ont collé en prison. Mais ils ont pris ma guitare. Quand ils m'ont enfin relâché, ils m'ont obligé à jurer que je ne jouerais plus jamais dans la rue.

Il a brièvement levé les yeux sur moi, avant de s'absorber de nouveau sur ses bottes, puis a repris :

— Je ne joue plus dans la rue. Je ne joue qu'ici. Pour les animaux. Gertrude, la dame qui possède le magasin, m'a proposé ce boulot quand elle a lu dans les journaux ce qui m'était arrivé. Elle m'a assuré que j'avais le droit de jouer de la musique pour les animaux.

— Vous jouez aussi pour moi, pour Winn-Dixie et pour Sweetie Pie.

— C'est vrai. Mais vous n'êtes pas dans la rue.

— Merci de m'avoir parlé, Otis.

— De rien, ce n'est pas un problème.

Sweetie Pie est arrivée, je lui ai donné un Losange Littmus, et elle l'a aussitôt recraché en disant que ça avait mauvais goût. Que ça avait le même goût que quand on n'a pas de chien.

J'ai balayé très lentement, ce jour-là. J'avais envie de tenir compagnie à Otis. Pour qu'il ne se sente plus aussi seul. Des fois, j'avais l'impression que le monde entier était seul. J'ai pensé à maman. Penser à elle, c'était comme de tâter du bout de la langue le trou laissé par une dent qui est tombée. Jour après jour, mon esprit ne cessait de revenir vers ce vide, ce vide dont j'avais le sentiment que maman aurait dû le combler.

20

Quand j'ai parlé d'Otis à Gloria Dechett, aux raisons pour lesquelles on l'avait arrêté, elle a tellement rigolé qu'elle a dû attraper ses fausses dents qui menaçaient de se sauver.

— Eh bien ! s'est-elle exclamée après avoir bien ri, ça, c'est un criminel sacrément dangereux !

— Il est très seul. Il voulait juste jouer pour quelqu'un.

Gloria s'est essuyé les yeux avec l'ourlet de sa robe.

— Je sais, ma douce. Je ris parce que les

choses sont parfois si tristes qu'elles en deviennent drôles.

— Et puis vous devinerez jamais, ai-je poursuivi en pensant à la tristesse des choses. Cette fille dont je vous ai parlé, la tête d'enterrement, Amanda. Eh bien, son frère s'est noyé l'an dernier. Il n'avait que cinq ans. Comme Sweetie Pie.

Gloria ne souriait plus. Elle a hoché le menton.

— Je me rappelle en avoir entendu parler. Oui, je me souviens de ce petit noyé.

— C'est la raison pour laquelle Amanda fait cette tête d'enterrement. Son frère lui manque.

— Bien sûr.

— Vous croyez que tout le monde a quelqu'un qui lui manque ? Comme maman me manque ?

— Mmm, a murmuré Gloria en fermant les yeux. Il m'arrive de croire que le monde entier n'est qu'un cœur qui souffre.

Comme je ne supportais pas de continuer à penser à la tristesse contre laquelle personne ne peut rien, j'ai dit :

— Vous voulez que je vous lise peu d'*Autant en emporte le vent* ?

— Absolument. J'ai attendu ça toute la journée. Voyons un peu ce que nous mijote Mlle Scarlett.

J'ai ouvert le livre et me suis lancée dans ma lecture, mais je n'arrêtais pas de penser à Otis qui était privé de public. Dans le livre, Scarlett piaffait d'impatience à l'idée de se rendre à un barbecue où il y aurait de la musique et de la nourriture. C'est comme ça que j'ai eu mon idée.

— Je sais ce qu'on doit faire ! me suis-je écriée en refermant le bouquin.

Sous la chaise de Gloria, Winn-Dixie a redressé la tête comme un ressort et a regardé nerveusement de tous les côtés.

— Quoi ? a lancé Gloria Dechett.

— On doit organiser une fête. On invitera Mlle Franny Block, le pasteur et Otis. Otis jouera de la guitare pour tout le monde. Sweetie Pie aussi viendra. Elle sait écouter la musique d'Otis.

— Qui c'est, on ? a demandé Gloria.

— On, c'est vous et moi. On préparera à manger, et la fête se déroulera ici, dans votre jardin.

— Mmm.

— On pourrait servir des sandwiches au beurre de cacahuète. On les couperait en triangles pour qu'ils aient l'air chouettes.

— Seigneur ! s'est exclamée Gloria Dechett. Je ne suis pas certaine que tout le monde apprécie le beurre de cacahuète autant que toi, moi et ce chien.

— Bon, ben dans ce cas, on aura des sandwiches aux œufs. Les adultes aiment ça.

— Tu connais la recette ?

— Non. Je n'ai pas de maman pour m'apprendre ce genre de choses. Mais je parie que vous, vous savez. Je parie que vous pourriez me montrer. S'il vous plaît.

— On verra.

Gloria a posé sa main sur la tête de Winn-Dixie et m'a souri. J'ai compris que c'était une façon de me dire oui.

— Merci.

Je me suis approchée et l'ai serrée contre moi. Fort. Winn-Dixie a agité la queue et a essayé de se glisser entre nous deux. Il ne supportait pas qu'on l'écarte de quoi que ce soit.

— Ça va être la plus belle fête du monde, ai-je confié à Gloria.

— D'abord, tu dois me faire une promesse, m'a-t-elle répondu.

— D'accord.

— Tu inviteras les garçons Dewberry.

— Dunlap et Stevie ?

— Mmm-mmm. Sans eux, pas de fête.

— Je suis vraiment obligée ?

— Oui. Allez, promets.

— Pff ! D'accord.

Ça ne me plaisait pas, mais j'ai quand même promis.

Je me suis lancée dans mes invitations aussitôt. J'ai commencé par le pasteur.

— Papa ?

— Opal ?

— Papa, Winn-Dixie, moi et Gloria Dechett, on va organiser une fête.

— Bravo. Amusez-vous bien.

— Je t'en parle parce que tu es invité, papa !

— Oh !

Et il s'est frotté le nez.

— Je vois, a-t-il murmuré.

— Tu viendras ?

— Pourquoi pas ? a-t-il soupiré.

Mlle Franny Block a tout de suite été enthousiaste.

— Une fête ! s'est-elle écriée en battant des mains.

— Exactement. Ça sera un peu comme le barbecue aux Douze-Chênes dans *Autant en emporte le vent*. Sauf qu'il y aura moins de monde et qu'on servira des sandwiches aux œufs au lieu de viande grillée.

— Ça me semble magnifique !

Puis Mlle Franny a tendu le doigt vers l'arrière de la bibliothèque et a ajouté :

— Et si tu en parlais à Amanda ?

— Elle refusera sûrement. Elle ne m'aime pas beaucoup.

— Demande-lui et tu verras bien.

Je suis donc allée rejoindre Amanda et je l'ai invitée de ma voix la plus polie. Elle a paru drôlement nerveuse, tout à coup.

— Une fête ?

— Oui. J'aimerais beaucoup que tu viennes.

Bouche ouverte, elle m'a dévisagée.

— D'accord, a-t-elle fini par répondre. Je veux dire, merci. Ça me plairait drôlement.

Et, comme je l'avais juré à Gloria, je n'ai pas oublié les Dewberry.

— J'irai pas à une fête chez une sorcière ! a déclaré Stevie.

Dunlap lui a filé un coup de coude.

— On viendra, m'a-t-il assuré.

— Non, a insisté Stevie. Cette sorcière va nous jeter dans son chaudron.

— Que vous veniez ou non, ça m'est égal, leur ai-je balancé. Je vous invite uniquement parce que j'ai une promesse à tenir.

— On sera là, a répété Dunlap.

Et il m'a souri.

Sweetie Pie était toute contente.

— C'est quoi, le thème ?

— Il n'y en a pas.

— Il faut que tu en trouves un.

Elle a fourré son doigt dans sa bouche, puis l'a retiré.

— Sans thème, ce n'est pas une vraie fête. Est-ce que ton chien sera là ?

Elle a mis ses bras autour de Winn-Dixie et l'a serré si fort que les yeux ont failli lui sortir de la tête.

— Oui.

— Super. Tu pourrais en faire le thème de ta fête. Dire que c'est une fête chien.

— J'y réfléchirai.

Le dernier à qui j'en ai parlé, ça a été Otis. Sauf que lui, il a refusé poliment.

— Pourquoi ? ai-je insisté.

— Je n'aime pas les fêtes.

— Je vous en prie. Ce ne sera pas une vraie fête, sans vous. Tenez, si vous venez, je travaillerais une semaine gratos. Juré craché !

— Une semaine complète ?

— Oui.

— Je ne serai pas obligé de parler aux gens, hein ?

— Non. Mais apportez votre guitare. Vous pourrez nous jouer un peu de musique.

— On verra.

Otis a baissé les yeux sur ses bottes en essayant de dissimuler son sourire.

— Merci, lui ai-je dit. Merci d'accepter.

21

Une fois Otis convaincu, le reste a été un jeu d'enfant et un vrai plaisir. Moi et Gloria, on a décidé que la fête aurait lieu le soir, aux heures fraîches. L'après-midi précédent, on a travaillé dans sa cuisine et préparé des sandwiches aux œufs. On les a coupés en triangles, on a enlevé la croûte du pain et on y a planté des cure-dents décorés de choses rigolotes sur le sommet. Pendant ce temps, Winn-Dixie est resté assis dans la cuisine à battre de la queue et à nous contempler.

— Ce chien croit que ces sandwiches lui sont destinés, a dit Gloria Dechett.

Winn-Dixie lui a souri de toutes ses dents.

— Ce n'est pas pour toi, l'a-t-elle averti.

Mais, à un moment où elle pensait que je ne la voyais pas, elle lui en a tendu un (sans cure-dent).

On a aussi préparé du punch. On a mélangé du jus d'orange, du jus de raisin et de la limonade dans un grand saladier. Gloria l'a appelé le punch Dechett. Elle a prétendu qu'il était connu dans le monde entier. Sauf que moi, c'était la première fois que j'en entendais parler.

Enfin, on a décoré le jardin. J'ai attaché des guirlandes de papier crépon rose, orange et jaune dans les arbres pour mettre une touche de gaîté. On a aussi rempli des sacs avec du sable et on y a planté des bougies. Juste avant que le fête ne commence, j'ai fait le tour pour les allumer. Le jardin de Gloria ressemblait à un pays enchanté.

— Mmm-mmm, a déclaré Gloria Dechett en examinant les lieux. Même avec d'aussi mauvais yeux que les miens, on voit que ça a de l'allure.

C'était vraiment joli. Tellement joli que mon cœur s'est senti bizarre. Gonflé, rempli. J'ai hyper super regretté d'ignorer où maman se trouvait, sinon je l'aurais invitée, elle aussi.

Mlle Franny Block est arrivée la première. Elle

était vêtue d'une belle robe verte toute brillante. Elle avait aussi des chaussures à hauts talons sur lesquels elle chancelait d'avant en arrière à chaque pas. Même quand elle ne bougeait pas, elle tanguait légèrement, comme si elle avait été à bord d'un bateau. Elle avait apporté une grande jatte en verre pleine de Losanges Littmus.

— Une petite gâterie pour le dessert, a-t-elle dit.

— Merci, ai-je répondu en posant la jatte sur la table, à côté des sandwiches et du punch.

J'ai présenté Mlle Franny à Gloria, elles se sont serré la main et ont échangé des politesses.

Puis ça a été au tour de la mère de Sweetie Pie avec Sweetie Pie. Sweetie Pie tenait tout une brassée d'images de chiens qu'elle avait découpées dans des magazines.

— C'est pour t'aider avec le thème, m'a-t-elle annoncé. Tu peux les utiliser pour décorer. J'ai aussi apporté du Scotch.

Sur ce, elle s'est mise à coller des images de chiens partout, sur les arbres et les chaises et la table.

— Elle a parlé de cette fête toute la sainte journée, nous a appris sa mère. Vous me la ramènerez à la maison, quand ce sera terminé ?

J'ai dit que oui bien sûr, et j'ai présenté Sweetie Pie à Mlle Franny et à Gloria. Juste à ce moment-là, le pasteur a déboulé. Il portait une veste et une cravate et avait l'air drôlement sérieux. Il a échangé une poignée de main avec Gloria Dechett et avec Mlle Franny Block, et il a déclaré qu'il était ravi de faire leur connaissance, parce qu'il n'avait entendu que du bien d'elles. Il a caressé la tête de Sweetie Pie et lui a dit qu'il était heureux de la voir en dehors de la messe. Pendant ce temps-là, Winn-Dixie se tenait dans les jambes de tout le monde, agitant la queue si fort que j'ai eu peur qu'il ne renverse Mlle Franny (à cause de ses hauts talons).

Ensuite, Amanda Wilkinson a fait son apparition. Elle avait bouclé ses cheveux blonds et semblait timide et pas aussi méchante que d'habitude. Je me suis approchée d'elle et l'ai présentée à Gloria Dechett. J'ai été surprise de constater à quel point j'étais contente de voir Amanda. J'avais envie de lui dire que je savais, pour Carson. De lui dire que je comprenais ce que c'était que de perdre quelqu'un, mais je me suis tue. À la place, j'ai été super sympa.

On était tous debout à se sourire, un peu gênés, quand une voix stridente a retenti :

— Gertrude joli zoziau.

Winn-Dixie a dressé les oreilles, a lancé un aboiement, un seul, et a tourné la tête de tous les côtés. Moi aussi, mais je n'ai vu ni Gertrude ni Otis.

— Je reviens tout de suite, ai-je crié aux autres.

Winn-Dixie et moi avons couru jusque devant la maison. Et là, debout dans l'allée, se tenait Otis, sa guitare dans le dos, Gertrude sur l'épaule et, dans les mains, le plus gros bocal de cornichons que j'aie jamais vu.

— Ça se passe derrière, Otis, venez !

— Oh !

Mais il est resté planté là, accroché à ses cornichons.

— Chien ! a piaillé Gertrude.

Elle s'est envolée de l'épaule d'Otis et s'est posée sur le crâne de Winn-Dixie.

— Tout va bien, Otis, ai-je repris. Ce ne sont que quelques amis. Il n'y a quasiment personne.

— Oh ! a-t-il répété.

Il a regardé autour de lui comme s'il était perdu. Puis il a soulevé son bocal.

— J'ai apporté des cornichons, a-t-il annoncé.

— J'ai vu. Exactement ce qui nous manquait. Ils iront très bien avec les sandwiches aux œufs.

Je lui parlais à voix basse, lentement, comme s'il avait été un animal sauvage que j'essayais de nourrir à la main.

Il a fait un tout petit pas en avant.

— Venez, ai-je murmuré.

Je me suis éloignée, et Winn-Dixie m'a suivie. Quand je me suis retournée, Otis marchait derrière nous.

22

Otis m'a accompagnée jusqu'au jardin de derrière, là où se déroulait la soirée. Avant qu'il ait eu le temps de se sauver, je l'ai présenté au pasteur.

— Voici Otis, papa. C'est lui qui est responsable des Animaux-de-Gertrude. C'est lui qui joue si bien de la guitare.

— Comment allez-vous ? l'a salué le pasteur en lui tendant la main.

Encombré par son bocal de cornichons, Otis ne savait comment libérer une de ses mains pour rendre la politesse au pasteur. Finalement, il s'est penché et a posé les cornichons par terre. Mais ce faisant, sa guitare a glissé et lui a cogné la tête avec un petit boiiing ! Sweetie Pie a rigolé et a tendu le doigt vers lui, comme s'il était un clown cherchant à l'amuser.

— Aïe ! a maugréé Otis.

Il s'est redressé, a ôté la guitare de son dos et l'a appuyée contre le bocal de cornichons. Alors seulement, il a essuyé sa main à son pantalon et l'a tendue au pasteur qui l'a prise en disant :

— C'est un vrai plaisir de vous serrer la main.

— Merci. J'ai apporté des cornichons.

— J'avais remarqué.

Une fois ces salamalecs terminés, j'ai entraîné Otis vers Mlle Franny Block et vers Amanda. Puis je l'ai présenté à Gloria Dechett. Gloria lui a pris le poignet en souriant. Otis l'a regardée droit dans les yeux et lui a souri aussi. Un grand sourire.

— J'ai apporté des cornichons pour votre fête, a-t-il lancé.

— J'en suis ravie, a répondu Gloria. Une fête sans cornichons n'est pas une fête.

Tout rouge, Otis a baissé les yeux sur son bocal.

— Opal, m'a lancé Gloria, quand les garçons seront-ils là ?

— J'en sais rien. Je leur ai bien stipulé l'heure à laquelle ça commençait.

Mais je n'ai pas précisé à Gloria qu'ils ne viendraient sûrement pas parce qu'ils avaient peur d'assister à une fête dans la maison d'une sorcière.

— Bon, a déclaré Gloria. Nous avons des sandwiches aux œufs, nous avons du punch Dechett, des cornichons et des Losanges Littmus, et nous avons même un pasteur pour bénir cette soirée.

Elle a levé les yeux sur le pasteur. Celui-ci a acquiescé, s'est raclé la gorge et a déclaré :

— Merci, Seigneur, pour les chaudes nuits d'été, ces bougies et cette nourriture. Merci surtout pour tous ces amis. Nous te savons gré des dons merveilleux et subtils que tu nous offres à travers les uns et les autres. Et nous te savons gré de la tâche que tu nous imposes de nous aimer les uns les autres du mieux que nous pouvons, toi qui n'es qu'amour. Au nom du Christ, amen.

— Amen, a dit Gloria Dechett.

— Amen, ai-je chuchoté.

— Gertrude, a piaillé Gertrude.

— C'est quand, qu'on mange ? a demandé
Sweetie Pie.

— Chut ! a sifflé Amanda.

— Atchoum ! a éternué Winn-Dixie.

Soudain, au loin, le tonnerre a roulé. D'abord,
j'ai cru que c'était l'estomac de Winn-Dixie qui
gargouillait.

— Il n'est pas censé pleuvoir, a fait remarquer
Gloria Dechett. Ils n'ont pas prévu de pluie.

— Cette robe est en soie, a gémi Mlle Franny.
Si je la mouille, elle sera fichue.

— Nous devrions peut-être rentrer, a suggéré
Amanda.

Le pasteur a contemplé le ciel.

Au même instant, des trombes d'eau se sont
abattues sur nous.

23

— Mets les sandwiches à l'abri ! m'a hurlé Gloria Dechett. Et le punch !

— Mes images de chiens ! a braillé Sweetie Pie.

Elle s'est précipitée pour les décoller des arbres et des chaises.

— Ne vous inquiétez pas, criait-elle, je les ai ! Je les ai !

J'ai attrapé le plat de sandwiches aux œufs, le pasteur le bol de punch, et nous avons couru dans la cuisine. Quand je suis ressortie, j'ai vu qu'Amanda aidait Mlle Franny Block à se réfugier dans la maison. Mlle Franny tremblotait tellement sur ses talons hauts que sans le soutien d'Amanda la pluie l'aurait renversée.

J'ai saisi Gloria Dechett par le bras.

— Je vais bien, m'a-t-elle lancé.

Malgré tout, elle a mis sa main sur mon bras et s'est accrochée fermement à moi.

Avant de rentrer, j'ai jeté un coup d'œil au jardin. Les guirlandes de papier crépon avaient été réduites en lambeaux et les bougies s'étaient éteintes. J'ai aperçu Otis. Debout près de son bocal de cornichons, il contemplait ses pieds.

— Otis ! ai-je beuglé. Amenez-vous ! On rentre.

Une fois dans la cuisine, Amanda et Mlle Franny Block se sont mises à rire en se secouant comme des chiens mouillés.

— Quel déluge ! a dit Mlle Franny. C'était quelque chose, hein ?

— Surgi de nulle part, a confirmé le pasteur.

— Youpi ! a lancé Gloria Dechett.

— Chien, a croassé Gertrude.

Je me suis tournée vers elle. Elle était perchée sur la table de la cuisine. Dehors, le tonnerre claquait et grondait vraiment fort, maintenant.

— Oh non ! me suis-je écriée en inspectant du regard la cuisine.

— Ne t'inquiète pas, m'a rassurée Sweetie Pie, j'ai sauvé toutes mes images.

Elle a agité son bouquet de feuilles.

— Où est Winn-Dixie ? ai-je hurlé. Je l'ai oublié. Je n'ai pensé qu'à notre fête ! Je l'ai oublié ! J'ai oublié de le protéger de l'orage !

— Voyons, Opal, m'a dit le pasteur, il est sûrement quelque part dans le jardin à se cacher sous une chaise. Viens, allons le chercher.

— Attendez, je vais vous donner une lampe électrique et des parapluies, a annoncé Gloria Dechett.

Mais je ne voulais pas attendre. Je suis sortie en courant. J'ai regardé sous toutes les chaises, dans tous les buissons et derrière tous les arbres. J'ai appelé Winn-Dixie à pleins poumons. J'avais envie de pleurer. C'était ma faute. J'étais censée m'occuper de lui. Je l'avais oublié.

— Opal ! a crié quelqu'un.

C'était le pasteur. J'ai levé les yeux. Il se tenait sous le porche en compagnie de Gloria Dechett. Dunlap et Stevie Dewberry étaient là, eux aussi.

— Tes invités sont arrivés, m'a dit le pasteur.

— Je m'en fiche !

— Viens ici ! m'a jeté Gloria Dechett d'une voix dure et sévère.

Elle m'a prise dans le faisceau de sa lampe électrique.

Je suis remontée vers eux, et elle m'a tendue sa torche.

— Dis-le aux garçons ! m'a-t-elle ordonné. Dis-leur que tu es heureuse qu'ils soient là et que tu reviendras t'occuper d'eux dès que tu auras trouvé ton chien.

— Salut ! ai-je lancé. Merci d'être venu. Je vais juste chercher Winn-Dixie et je suis à vous.

— Tu veux que je t'aide ? m'a proposé Dunlap.

J'ai secoué la tête en retenant mes larmes. Gloria m'a attrapée et enlacée, puis elle m'a murmuré :

— Tu ne peux pas t'accrocher à ce qui veut partir, tu comprends, ma douce ? Tu ne peux aimer que ce que tu as sous la main, tant que tu l'as sous la main.

Elle m'a serrée très fort contre elle.

— Bonne chance, a-t-elle lancé quand moi et le pasteur, on est ressortis sous la pluie.

— Bonne chance ! a repris Mlle Franny de la cuisine.

— Ce chien ne s'est pas perdu, ai-je entendu Sweetie Pie confier à quelqu'un, à l'intérieur. Il est bien trop malin pour ça.

Je me suis retournée pour regarder en arrière, et la dernière chose que j'ai aperçue ça a été les lumières du porche qui se reflétaient sur le crâne chauve de Dunlap. Ça m'a rendue triste, cette vision de Dunlap sous le porche de Gloria, sa tête luisant dans l'obscurité. Il m'a vue l'observer et a agité la main dans ma direction. Je n'ai pas répondu.

24

Moi et le pasteur, on s'est éloignés en appelant Winn-Dixie. J'étais contente qu'il pleuve aussi fort, parce que c'était plus facile pour pleurer. J'ai pleuré, pleuré, pleuré sans jamais cesser d'appeler Winn-Dixie.

— Winn-Dixie ! je hurlais.

— Winn-Dixie ! braillait le pasteur avant de pousser un long sifflement.

Mais Winn-Dixie ne se montrait pas.

On a traversé toute la ville. On a dépassé la maison des Dewberry, la bibliothèque Herman W. Block, la maison jaune de Sweetie Pie et Les

Animaux de Gertrude. On est allés au Caravaning des Amis et on a regardé sous notre mobile home. On a même poussé jusqu'à l'église baptiste. On a franchi la voie ferrée et on a marché jusqu'à la route nationale. Les voitures défilaient à toute vitesse, et leurs feux arrière, rouges, brillaient comme des yeux méchants qui m'auraient reluquée.

— Et s'il avait été écrasé ?

— Inutile de s'inquiéter inutilement, Opal. On ne sait pas ce qui s'est produit. La seule chose à faire, c'est chercher.

On a marché et marché. Dans ma tête, j'ai commencé à dresser la liste des choses que je connaissais sur Winn-Dixie. Celles que je pourrais écrire sur de grands panneaux que j'accrocherais dans le voisinage. Celles qui aideraient les gens à l'identifier.

Un, il avait la phobie des orages.

Deux, il aimait sourire en montrant toutes ses dents.

Trois, il courait très vite.

Quatre, il éternuait.

Cinq, il attrapait les souris sans les écraser.

Six, il aimait rencontrer de nouvelles personnes.

Sept, il adorait le beurre de cacahuète.

Huit, il ne supportait pas de rester seul.

Neuf, il aimait s'asseoir sur les canapés et dormir sur les lits.

Dix, il n'avait rien contre aller à la messe.

J'ai continué à me répéter ma liste, la mémorisant comme j'avais appris par cœur celle des dix choses à propos de maman. Je l'ai mémorisée pour que, au cas où je ne le retrouverais pas, il me reste quelque chose de lui, quelque chose à quoi m'accrocher. Mais, en même temps, j'ai pensé à un truc auquel je n'avais jamais pensé. J'ai pensé qu'une liste ne serait jamais capable de montrer qui était le vrai Winn-Dixie. Exactement comme dix choses sur maman ne me permettraient jamais de la connaître. Cette pensée m'a fait pleurer encore plus.

On a cherché longtemps et, tout à coup, le pasteur a déclaré que ça suffisait.

— Mais papa, Winn-Dixie est quelque part dehors. Nous ne pouvons pas l'abandonner.

— Opal, nous sommes allés partout. Nous ne pouvons pas fouiller la terre entière.

— Je n'arrive pas à croire que tu laisses tomber !

— India Opal ! s'est fâché le pasteur en se

145

frottant le nez, je t'interdis de me parler sur ce ton-là.

Sans rien dire, je l'ai fixé durement. La pluie s'était estompée. Ce n'était plus qu'une bruine, à présent.

— Il est temps de rentrer, a décrété le pasteur.

— Non ! ai-je rétorqué. Rentre si tu veux, moi je continue.

— Opal ! a-t-il chuchoté, d'une voix vraiment douce, cette fois, il faut renoncer.

— Tu renonces toujours ! me suis-je mise à hurler. Tu rentres toujours la tête dans ton idiote de carapace de tortue. Je parie que tu n'as même pas cherché maman, quand elle est partie. Je parie que, elle aussi, tu l'as laissée s'enfuir.

— Non, j'ai essayé. Je n'ai pas réussi à la retenir, ma chérie. Tu ne crois pas que j'avais envie qu'elle reste, moi aussi ? Tu ne penses pas qu'elle me manque, à chaque heure de chaque jour ?

Il a écarté les bras et les a laissés retomber, impuissant.

— J'ai essayé, a-t-il répété.

Et là, il a fait quelque chose d'incroyable.

Il s'est mis à pleurer. À sangloter. Ses épaules se soulevaient, il lâchait des petits bruits étouffés.

— Et ne crois pas que perdre Winn-Dixie ne

me rend pas aussi malheureux que toi, a-t-il ajouté. J'aime ce chien, moi aussi. Je l'aime.

— Papa.

Je me suis approchée et je l'ai pris par la taille. Il pleurait tellement fort qu'il était secoué de partout.

— Ça va aller, l'ai-je consolé comme un petit bébé effrayé. Tout va bien. Chut. Tout va s'arranger.

On est restés un long moment comme ça, enlacés, à se bercer mutuellement. Le pasteur a peu à peu cessé de trembler, mais je ne l'ai pas lâché. Finalement, j'ai trouvé le courage de lui poser la question qui me démangeait depuis si longtemps.

— Tu crois qu'elle reviendra ? ai-je chuchoté.

— Non, a-t-il répondu. Non, je ne pense pas. Je l'ai espéré, j'ai prié pour, j'en ai rêvé. Des années durant. Mais je ne pense pas qu'elle reviendra un jour.

— Gloria prétend qu'on ne peut rien retenir. Qu'on ne peut aimer que ce qu'on a tant qu'on l'a.

— Elle a raison. Gloria Dechett a raison.

— Je ne suis pas prête à perdre Winn-Dixie.

Je l'avais un peu oublié, avec toutes ces pensées sur maman.

— Nous continuerons à chercher, m'a promis le pasteur. Mais tu sais quoi ? Je viens de comprendre quelque chose, India Opal. Quand je t'ai dit que ta maman était partie sans rien laisser. J'avais oublié une chose. Il y a une chose très importante qu'elle n'a pas emportée.

— Quoi ?

— Toi. Heureusement que ta maman t'a laissée à moi.

Sur ce, il m'a serrée encore plus fort.

— Moi aussi, je suis contente de t'avoir, ai-je murmuré.

Je le pensais vraiment. Je lui ai pris la main, et on est repartis vers la ville, appelant et sifflant Winn-Dixie tout le long du chemin.

25

On a entendu la musique avant même d'arriver chez Gloria Dechett. À un pâté de maisons de là. De la guitare, des chansons et des applaudissements.

— Je me demande ce qui se passe, a dit papa.

Nous avons remonté l'allée de Gloria, avons contourné la maison, et sommes entrés dans la cuisine. Otis jouait de son instrument, Mlle Franny et Gloria, installées sur des chaises, souriaient et chantaient. Gloria avait Sweetie Pie sur les genoux. Amanda, Dunlap et Stevie étaient assis par terre et les accompagnaient en tapant dans leurs mains, l'air réjoui. Même Amanda souriait. J'étais outrée qu'ils soient tous si contents alors que Winn-Dixie avait disparu.

— On ne l'a pas trouvé ! ai-je crié à la ronde.

La musique s'est arrêtée, et Gloria m'a regardé en disant :

— Nous savons que tu ne l'as pas trouvé, ma douce, parce qu'il n'a jamais quitté la maison.

Prenant sa canne, elle a tapoté sous sa chaise.

— Sors de là ! a-t-elle ordonné.

Il y a eu un reniflement et un gros soupir.

— Il dort, a-t-elle commenté. Il est complètement crevé.

Elle a agité sa canne une nouvelle fois. Alors, Winn-Dixie s'est extirpé de sous sa chaise en bâillant.

— Winn-Dixie ! ai-je hurlé.

— Chien ! a piaillé Gertrude.

Winn-Dixie a agité la queue, m'a montré ses dents et a éternué. J'ai bousculé tout le monde, je me suis laissée tomber par terre et je l'ai pris dans mes bras.

— Où étais-tu passé ? ai-je demandé.

Il a bâillé.

— Comment l'avez-vous trouvé ?

— Une bien belle histoire, a répondu

Mlle Franny. Pourquoi ne la raconteriez-vous pas, Gloria ?

— Eh bien, a commencé celle-ci, nous étions tous assis ici à vous attendre. Après avoir persuadé ces deux-là que je n'étais pas une sorcière avec poisons et potions...

— C'est pas une sorcière, l'a interrompue Stevie en secouant sa tête rasée, l'air un peu déçu.

— Nan, a renchéri Dunlap. Sinon, elle nous aurait déjà transformés en crapauds.

Il a eu un sourire éclatant.

— J'aurais pu vous dire qu'elle n'en était pas une, est intervenue Amanda. Les sorcières n'existent pas, c'est juste un mythe.

— Affaire réglée, a lancé Gloria. Bref, on a discuté de sorcières à n'en plus finir, puis Franny a suggéré qu'on fasse un peu de musique en attendant votre retour. Alors, Otis a pris sa guitare. Et ma foi, il n'est pas une chanson qu'il ne connaisse pas. Et quand il ne la connaît pas, il trouve les accords tout de suite si on la lui chante. Il a un vrai don.

Gloria s'est tue et a souri à Otis qui lui a souri aussi. Il semblait comme éclairé de l'intérieur.

— Raconte ce qui est arrivé, a lancé Sweetie Pie. Raconte-lui le chien.

— Donc, a repris Gloria, Franny et moi nous sommes mises à évoquer les chansons de notre enfance. On a demandé à Otis de les jouer, et on les a chantées en apprenant les paroles à ces enfants.

— Et là, y a quelqu'un qu'a éternué ! a hurlé Sweetie Pie.

— Exact ! a rigolé Gloria. Et ce n'était aucun de nous. Nous avons regardé partout, pensant qu'il y avait peut-être un voleur dans la maison. Comme nous n'avons rien trouvé, nous avons recommencé à chanter. Et aussi sec, un autre grand atchoum ! Ça semblait provenir de ma chambre. J'y ai envoyé Otis, en lui disant : « Otis, allez donc voir qui éternue dans ma chambre ! » Otis s'est exécuté et devinez qui il a trouvé ?

J'ai secoué la tête.

— Winn-Dixie ! a braillé Sweetie Pie.

— Ton chien était caché sous mon lit, recroquevillé comme si c'était la fin du monde. Mais il souriait comme un fou chaque fois qu'il entendait la guitare d'Otis, et il éternuait.

Papa s'est mis à rire.

— C'est vrai ! a lancé Mlle Franny.

— C'est la vérité vraie, a renchéri Stevie.

Dunlap a hoché la tête, hilare.

— Alors, a poursuivi Gloria Dechett, Otis a joué de la guitare juste sous le nez du chien et, petit à petit, Winn-Dixie a accepté de sortir de sous le lit.

— Il était couvert de poussière, a fait remarquer Amanda.

— On aurait dit un fantôme, a lancé Dunlap.

— Ouais ! a approuvé Sweetie Pie. Un vrai fantôme !

— Mmm-mmm, a ronronné Gloria. Il ressemblait en effet à un fantôme. Bref, l'orage a fini par se calmer. Ton chien s'est glissé sous ma chaise et s'est endormi. Et c'est comme ça depuis. Nous attendions ton retour pour t'apprendre la bonne nouvelle.

— Winn-Dixie, ai-je murmuré en le serrant tellement fort qu'il s'est étranglé. On était dehors à siffler et à t'appeler et toi, tu étais ici. Merci, ai-je lancé aux autres.

— Nous n'avons rien fait de spécial, a répondu Gloria. Nous sommes juste restés assis à chanter des chansons. Et nous sommes tous bons amis, maintenant. Le punch n'est plus que de l'eau et les sandwiches mériteraient d'être essorés. Si vous en voulez absolument, il vous faudra les manger avec une cuiller. Mais il nous reste les cornichons. Et les Losanges Littmus. Notre fête n'est pas terminée.

Papa a tiré une chaise à lui et s'est assis.

— Otis, a-t-il demandé, connaissez-vous des hymnes ?

— Quelques-uns.

— Fredonnez, l'a encouragé Mlle Franny, et il les jouera.

Alors, papa s'est mis à chantonner quelque chose, et Otis a pincé quelques accords, et Winn-Dixie a battu la mesure avec sa queue et s'est rallongé sous la chaise de Gloria. J'ai regardé les visages des uns et des autres, et j'ai senti mon cœur se gonfler de joie.

— Je reviens dans une minute, ai-je dit.

Mais ils chantaient tous, maintenant. Et ils riaient. Et Winn-Dixie ronflait si fort que personne ne m'a entendue.

26

Dehors, la pluie avait cessé, les nuages s'étaient éloignés. Le ciel était si clair que je voyais toutes les étoiles de l'univers. J'ai marché jusqu'au fond du jardin de Gloria Dechett. Là, j'ai levé les yeux sur son arbre à bêtises. Les bouteilles ne faisaient aucun bruit. Il n'y avait pas de vent, elles pendaient, immobiles. J'ai longtemps contemplé l'arbre, puis j'ai contemplé le ciel.

— Maman, ai-je chuchoté comme si elle se tenait juste à côté de moi. Je sais dix choses sur toi, et ça ne suffit pas, loin de là. Mais papa m'en apprendra d'autres. Maintenant qu'il sait que tu ne reviendras pas, j'en suis certaine. Tu lui manques, tu me manques aussi, mais mon cœur ne se sent plus vide comme avant. Il est plein à ras bord. Je continuerai à penser à toi, je te le promets, mais sans doute pas autant que cet été.

Voilà ce que j'ai dit, cette nuit-là, sous l'arbre à bêtises de Gloria Dechett. Ensuite, je suis restée à admirer le ciel, à observer les étoiles et les constellations. Puis je me suis souvenue de mon arbre, celui que Gloria m'avait aidée à planter. Je n'étais pas allée le voir depuis longtemps. À genoux, j'ai tâtonné un peu et, quand je l'ai trouvé, j'ai été surprise de constater à quel point il avait poussé. Il était encore petit, il avait encore plus l'air d'un buisson que d'un arbre, mais ses branches et ses feuilles semblaient solides et parties pour durer. C'est dans cette position, à genoux sur le sol mouillé, qu'une voix a retenti.

— Tu pries ?

J'ai sursauté et levé la tête. C'était Dunlap.

— Non, ai-je répondu. Je ne prie pas, je réfléchis.

— À quoi ? a-t-il demandé en croisant les bras.

— À des tas de choses. Désolée de vous avoir traités de gros bébés chauves, toi et on frère.

— On s'en remettra. Gloria m'a envoyé te chercher.

— Je t'avais bien dit qu'elle n'était pas une sorcière.

— Je sais. Je le savais depuis le début. C'était juste pour t'embêter.

— Oh !

Je l'ai dévisagé. C'était dur de distinguer ses traits, dans la pénombre.

— Tu comptes rester comme ça jusqu'à la fin des temps ? a-t-il demandé.

— Non.

Alors, il m'a étonnée. Il a eu un geste dont je n'aurais jamais cru un gars Dewberry capable, même si on m'avait payée pour ça. Il m'a tendue la main et m'a aidée à me relever. Je l'ai prise, je l'ai laissé me remettre sur mes pieds.

— Le premier à la maison à gagné, m'a-t-il défiée.

Et il est parti à fond de train.

— D'accord ! ai-je hurlé. Mais je te préviens que je suis une rapide.

Je l'ai battu au coin de la maison.

— Vous ne devriez pas courir dans le noir, a lancé Amanda, debout sous le porche. Vous risquez de trébucher.

— Pff, Amanda ! s'est exclamé Dunlap en secouant la tête.

— Pff, Amanda ! ai-je dit moi aussi.

Puis je me suis rappelée Carson, et j'ai eu de la peine pour elle. Je l'ai rejointe, je lui ai pris la main, et je l'ai entraînée derrière moi.

— Viens, rentrons.

— India Opal, m'a lancé papa quand moi, Amanda, Dunlap, on est apparus, est-ce que tu vas chanter avec nous ?

— Oui. Seulement, je ne connais pas beaucoup de chansons.

— Nous t'apprendrons, a-t-il répondu avec un sourire immense.

Ce qui était un vrai bonheur à voir

— Oui, a renchéri Gloria Dechett.

Sweetie Pie était toujours sur ses genoux, mais elle avait les yeux fermés.

— Un Losange Littmus ? m'a proposé Mlle Franny en me passant la jatte.

— Merci.

J'ai choisi un bonbon, l'ai déballé et me le suis fourré dans la bouche.

— Un cornichon ? a demandé Otis en me tendant le bocal.

— Non merci. Pas maintenant.

Winn-Dixie est sorti de sous la chaise de Gloria Dechett. Il s'est assis à côté de moi et s'est appuyé contre moi de la même façon que je m'appuyais contre papa. Amanda était juste à côté aussi, et j'ai trouvé qu'elle n'avait pas du tout une tête d'enterrement.

— Bon, on chante, oui ou non ? a lancé Dunlap en faisant craquer ses doigts.

— Ouais ! a acquiescé Stevie. Ça vient, oui ou non ?

— Chantons ! a dit Sweetie Pie en ouvrant les yeux et en se redressant. Chantons pour le chien !

Otis a ri et a gratté sa guitare. La saveur du Losange Littmus s'est répandue dans ma bouche comme une fleur s'épanouit, douce et triste. Otis, Gloria, Stevie, Mlle Franny, Dunlap, Amanda, Sweetie Pie et papa ont entonné une chanson. Je les ai écoutés avec attention. Pour l'apprendre, moi aussi.

Composition Jouve – 62300 LENS
N° 816469f
Imprimé en France par HÉRISSEY - 27000 Évreux
Dépôt imprimeur : 96852 - éditeur n° 48220
32.10.2240.3/01 - ISBN : 2.01.322240.8
Loi n° 49-956 du 16 juillet 1949 sur les publications destinées à la jeunesse
Dépôt légal : octobre 2004